하루 한 장 60일 집중 완성

교과도형

7세~초1

P2

평면 모양 알기

히어로컨텐츠 HEROCONTENS

발행일: 2021년 10월 **발행인**: 이예찬

기획개발: 두줄수학연구소

디자인: 4BD STUDIO **삽화**: 1000DAY

발행처: 히어로컨텐츠

주소: 서울특별시 금천구 서부샛길 632, 7층(대륭테크노타운5차)

전화: 02-862-2220 **팩스**: 02-862-2227

지원카페: cafe.naver.com/eduherocafe **인스타그램**: @edu_ _hero

하루 한 장 60일 집중 완성 교과도형은

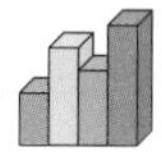

달라진 교과서와 학교 수업 진도에 맞추어 학습자가 체계적으로 도형을 학습할 수 있도록 안내합니다.

이전의 도형 학습이 도형의 정의와 성질을 외우고, 도형의 측정결과를 계산하는 '결과' 중심의 학습이었다면 지금의 도형 학습은 공간에 대한 이해와 해석(공간감각)을 바탕으로 모양을 인식하고 변화를 유추하고 다양한 방법으로 도형을 측정하고 그 결과를 표현하는 '과정' 중심의 학습입니다.
교과도형은 수학교육의 변화와 핵심을 이해하고 올바른 방향을 제시해 주는 든든한 길잡이가 될 것입니다.

하루 한 장 60일 집중 완성 교과도형은

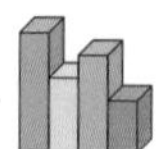

① 공간감각 ② 도형표현 ③ 도형측정을 중심으로 교과서에서 다루는 모든 도형을 체계적으로 학습합니다.

공간감각

도형을 효과적으로 학습하기 위해서는 공간을 이해하고 해석하는 능력, 즉 '공간감각'이 필요합니다.

공간감각은 경험과 상상력을 바탕으로 머릿속에서 도형을 조작하고 결과를 유추하는 능력입니다. 공간감각은 단시간에 길러지지 않으므로 어릴 때부터 꾸준하게 학습하고 구체적인 경험을 쌓는 것이 중요합니다.
'교과도형'의 각 권 마지막에 있는 '도형플러스'는 각 권의 학습목표와 연계하여 공간감각을 한 단계 더 높여줄 수 있는 내용으로 구성하였습니다.

도형표현

공간에 존재하는 도형은 표현되었을 때 더 큰 의미를 가집니다.

- 삼각형을 찾는 것에서 그치지 않고 다양한 삼각형을 직접 그려 보고 왜 삼각형인지 설명하는 것
- 쌓기나무로 만든 모양을 위치와 방향을 이용하여 설명하는 것
- 도형을 여러 가지 기준과 특징에 따라 분류하고 왜 그렇게 분류했는지 설명하는 것
- 도형을 위·앞·옆에서 바라보고 그 모습을 그림으로 표현하는 것 등이 모두 '도형표현'입니다.

'교과도형'은 도형과 관련한 작은 그림에서부터 서술형 문장제까지 도형을 표현하는 다양한 방법을 효과적으로 학습합니다.

도형측정

측정은 도형과 아주 밀접한 관계가 있으므로 도형을 학습하면서 반드시 함께 다루어야 하는 영역입니다.

길이, 각도, 둘레, 넓이, 부피 등 흔히 '도형' 영역이라 생각하는 것이 사실 초등 교육과정에서는 '측정' 영역에 해당합니다. 사각형을 학습하는 것은 도형이지만 사각형의 둘레와 넓이를 구하는 것은 측정입니다. 각의 종류를 학습하는 것은 도형이지만 각도를 재는 것은 측정입니다. 이처럼 길이, 각도, 둘레, 넓이, 부피 등은 결국 도형을 측정하는 것입니다.
'교과도형'은 교과서의 모든 '도형' 영역을 다루었습니다. 여기에 도형과 반드시 연계하여 학습해야 하는 '측정' 영역을 추가로 다루어 더욱 완성된 도형 학습을 할 수 있도록 도와줍니다.

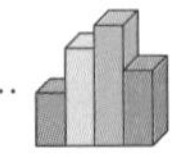

하루 한 장 60일 집중 완성 교과도형은

7세부터 6학년까지 총 7단계 21권(단계별 3권)으로 구성되어 있으며 각 권은 매일 한 장씩 4주간 체계적으로 학습할 수 있습니다.

1권, 20일

2권, 20일

3권, 20일

대 상	단 계	구 성
7세 ~ 1학년	P	P1, P2, P3
1학년	A	A1, A2, A3
2학년	B	B1, B2, B3
3학년	C	C1, C2, C3
4학년	D	D1, D2, D3
5학년	E	E1, E2, E3
6학년	F	F1, F2, F3

교과도형의 각 단계는 1, 2, 3권을 차례대로 학습합니다.

교과도형, 한 권이면 충분합니다

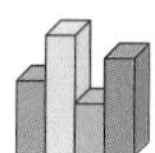

교과도형은 공간감각, 도형표현, 도형측정을 중심으로 교과서에서 다루는 모든 도형을 학습하고,
공간감각 향상을 위한 '도형플러스'와 학습 결과를 확인하는 '형성평가'를 제공합니다.

1 주차별 학습

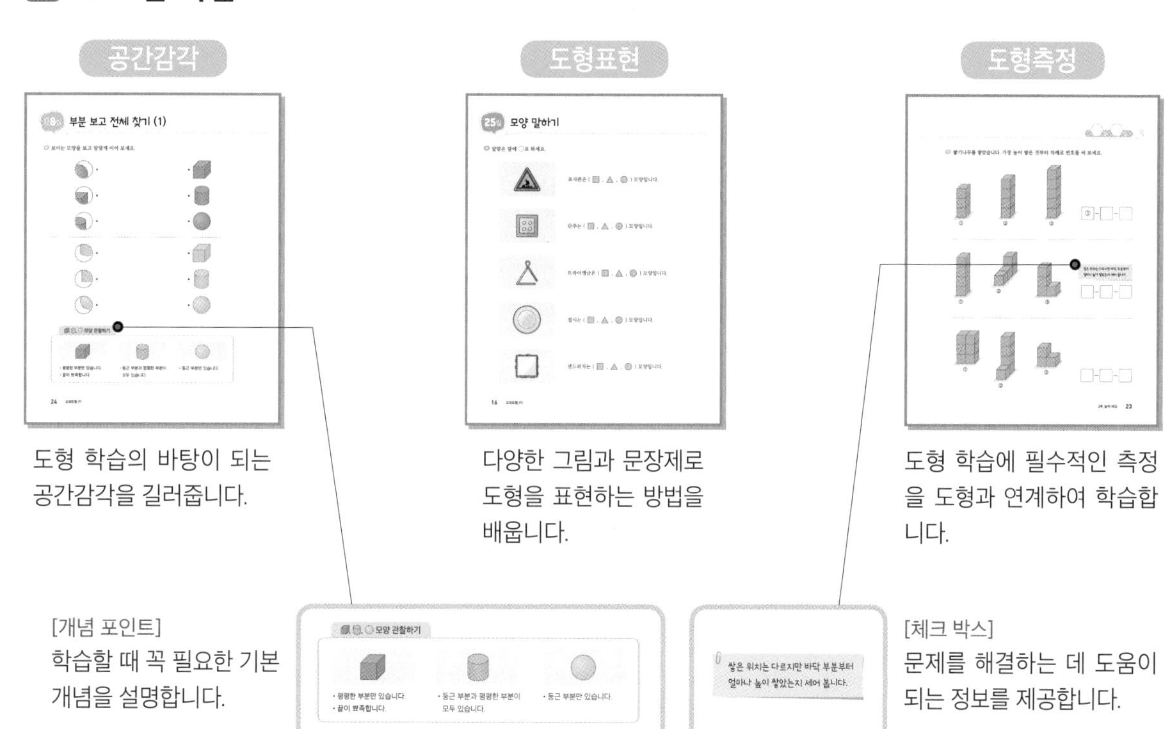

공간감각
도형 학습의 바탕이 되는 공간감각을 길러줍니다.

도형표현
다양한 그림과 문장제로 도형을 표현하는 방법을 배웁니다.

도형측정
도형 학습에 필수적인 측정을 도형과 연계하여 학습합니다.

[개념 포인트]
학습할 때 꼭 필요한 기본 개념을 설명합니다.

[체크 박스]
문제를 해결하는 데 도움이 되는 정보를 제공합니다.

2 도형플러스

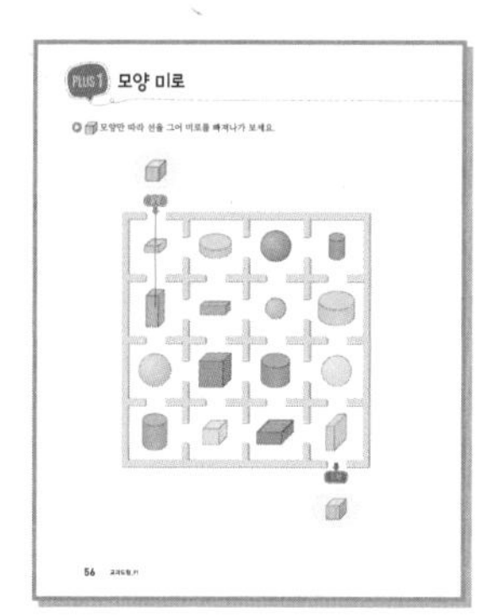

각 권의 학습 주제와 연계하여 공간감각을 더욱 향상시킵니다.

3 형성평가

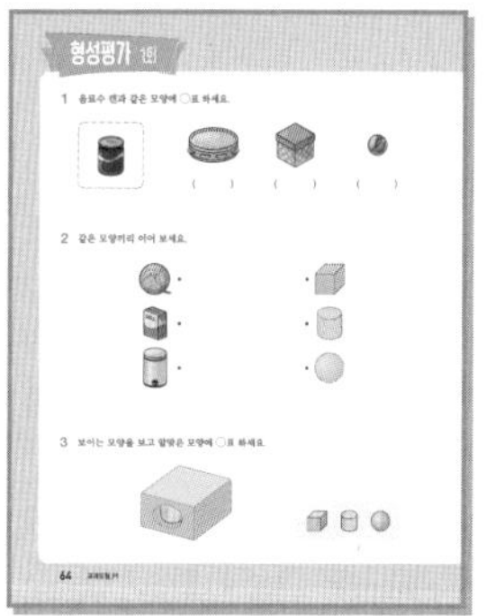

학습한 내용을 다시 한 번 복습하고 정리합니다.

이 책의 차례

1주차
21~25일

□, △, ○ 모양

같은 모양 찾기 (1)

왼쪽 모양과 같은 모양에 ◯표 하세요.

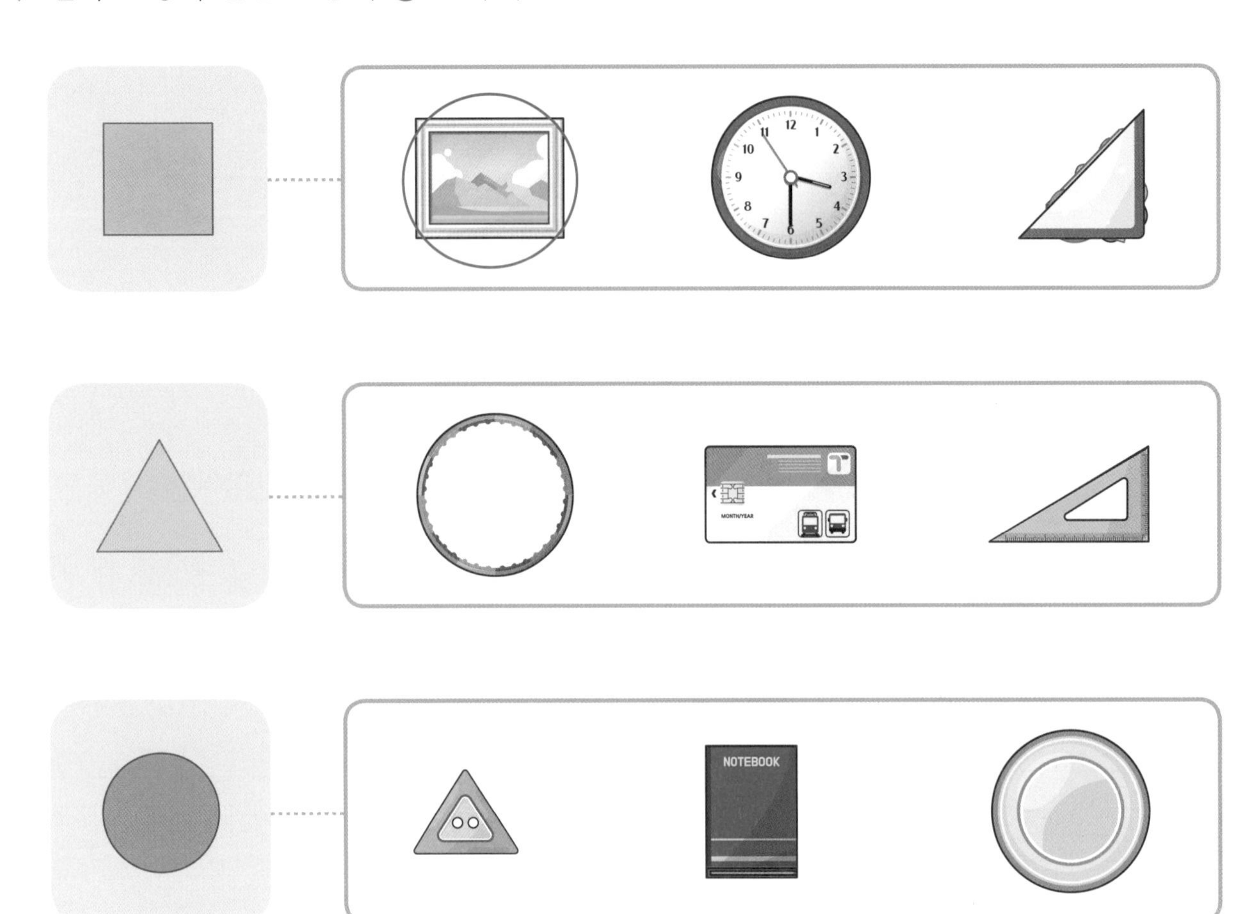

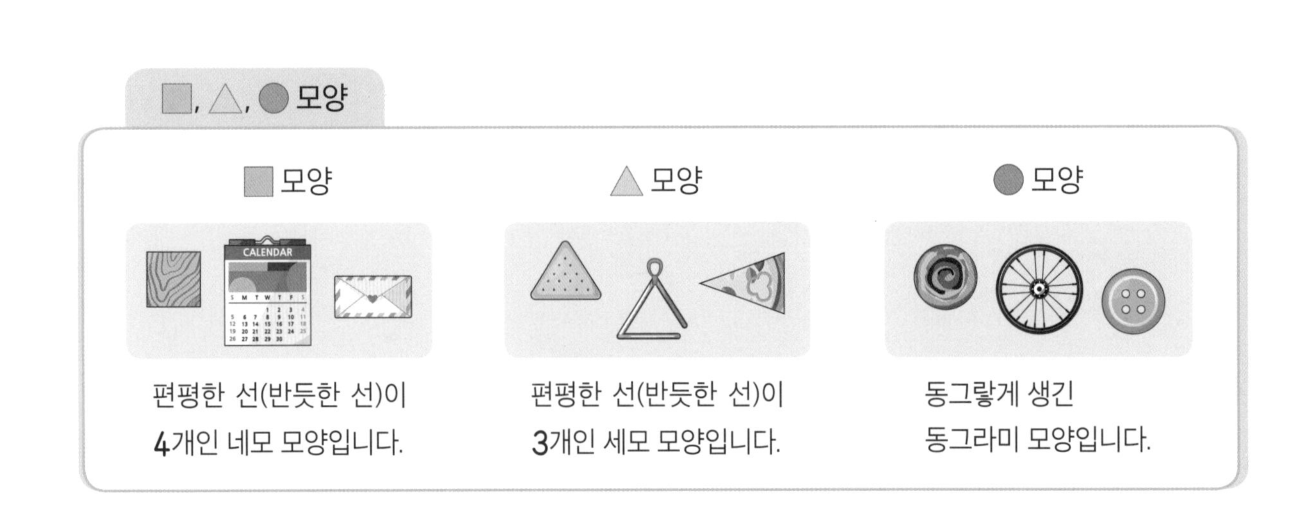

■, ▲, ● 모양
■ 모양
▲ 모양
● 모양
CALENDAR
편평한 선(반듯한 선)이
4개인 네모 모양입니다.
편평한 선(반듯한 선)이
3개인 세모 모양입니다.
동그랗게 생긴
동그라미 모양입니다.

왼쪽 모양과 같은 모양에 ◯표 하세요.

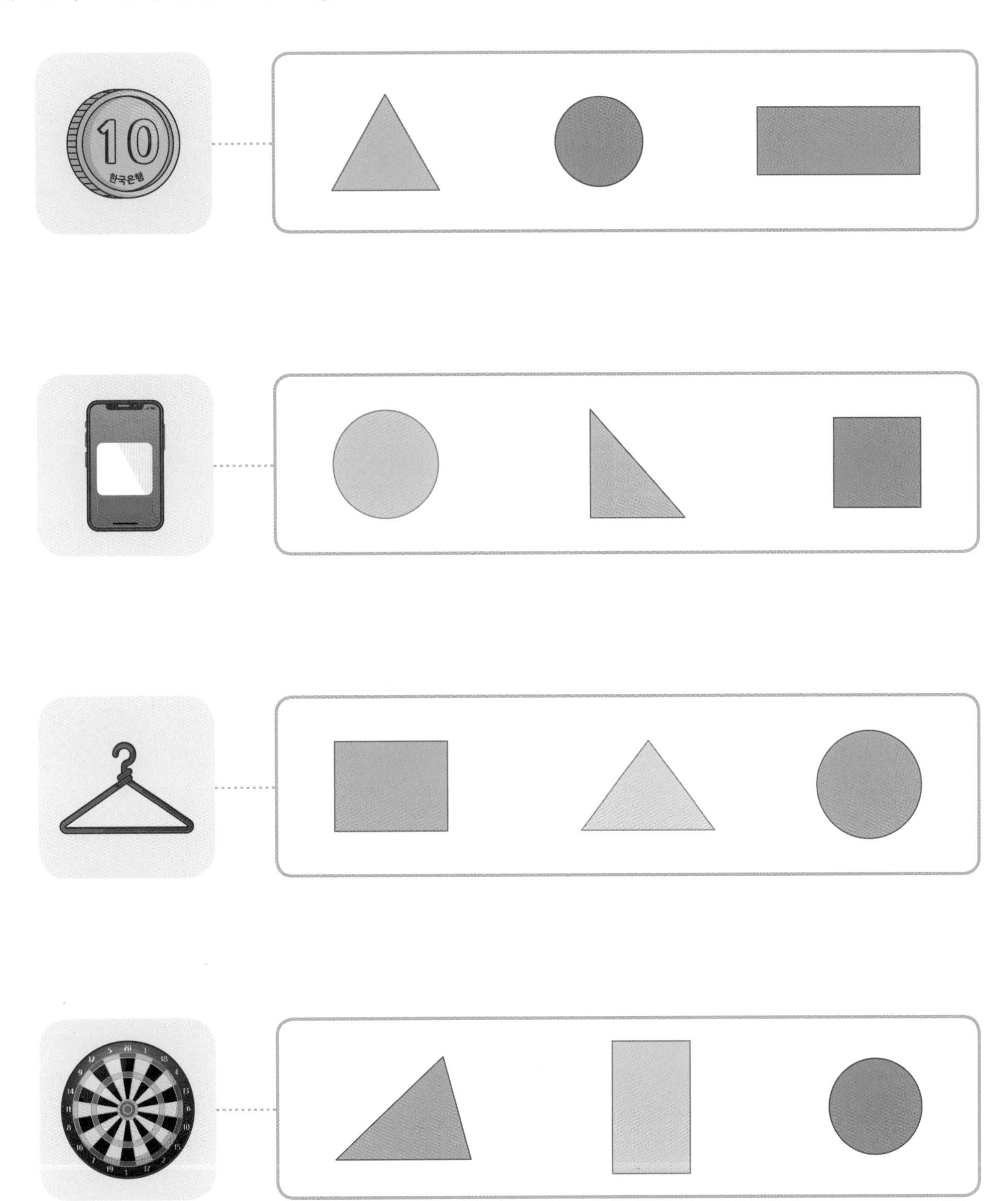

같은 모양 잇기

같은 모양끼리 이어 보세요.

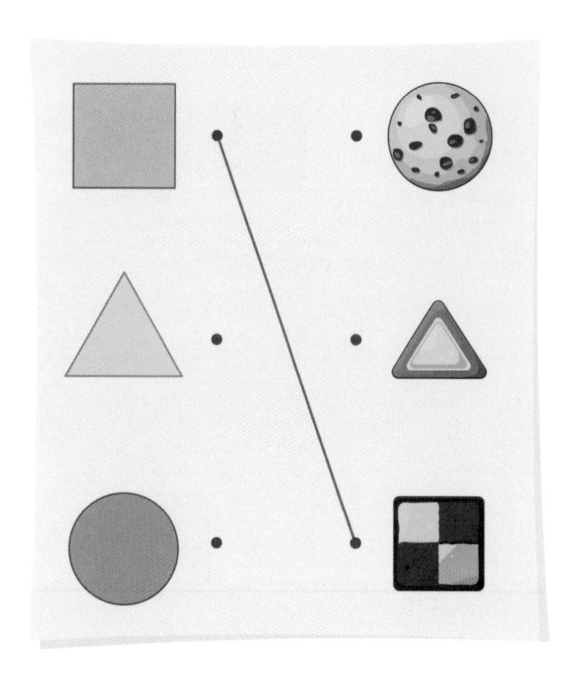

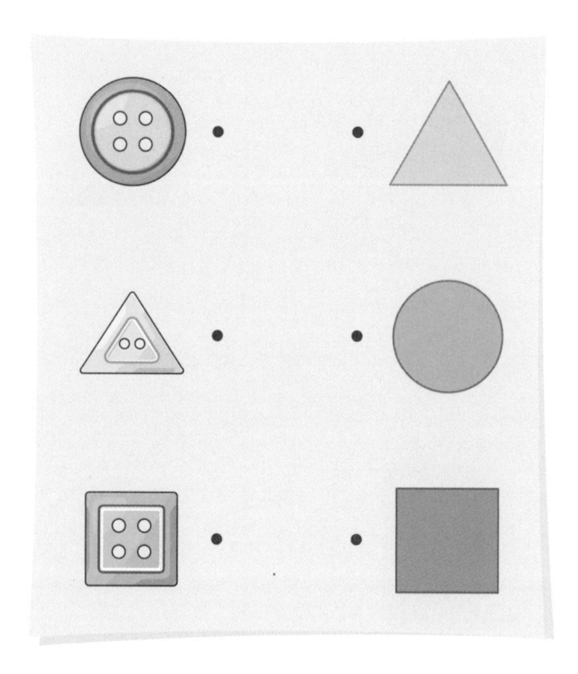

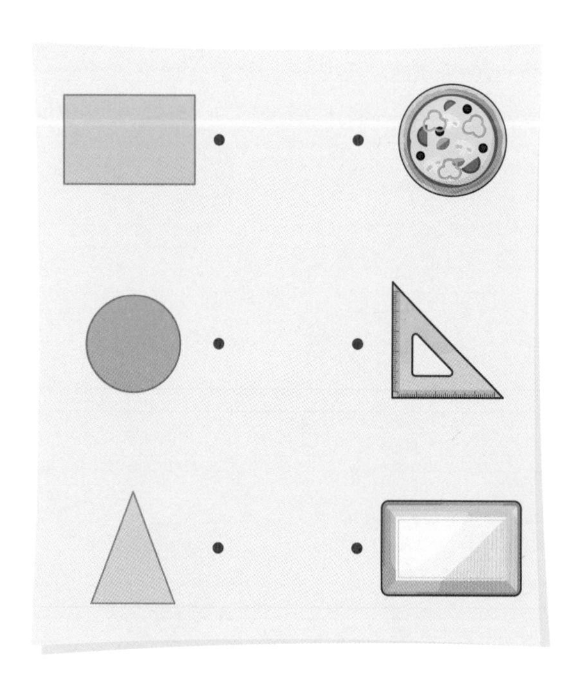

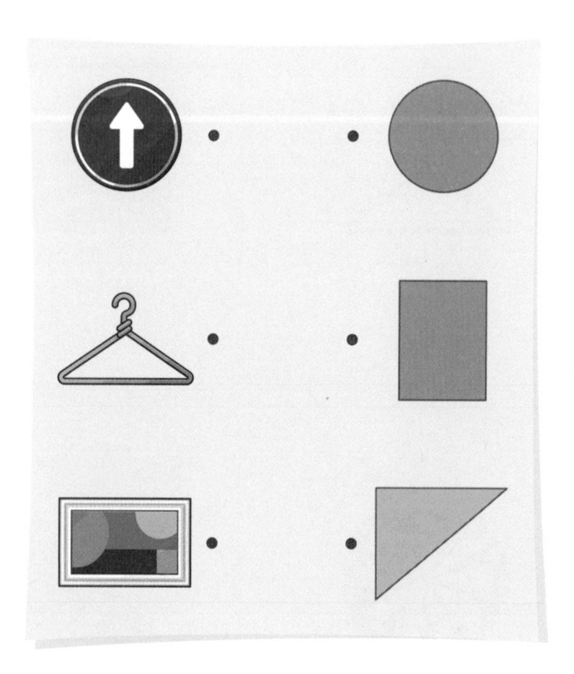

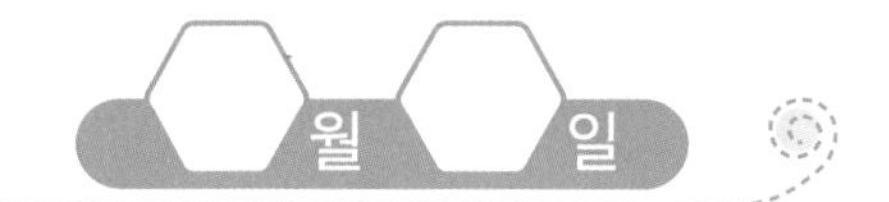

같은 모양끼리 이어 보세요.

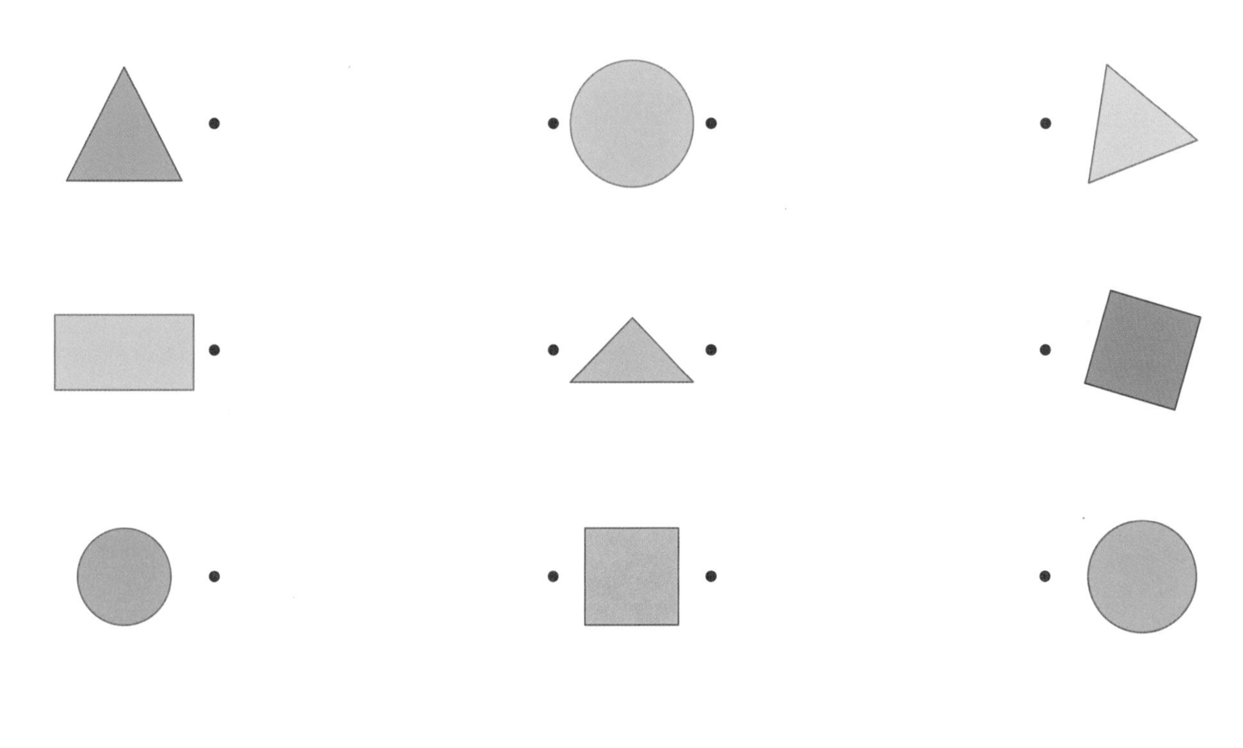

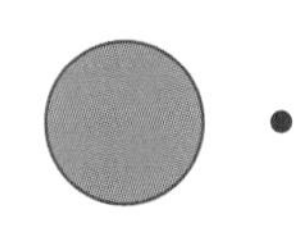 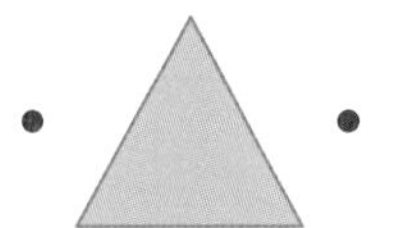 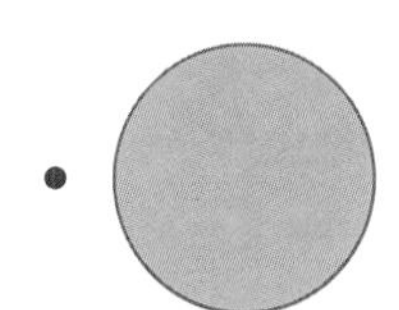

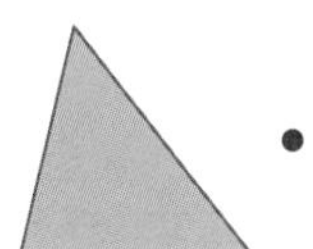  

  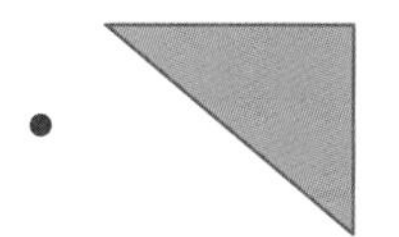

23일 같은 모양 찾기 (2)

왼쪽 모양과 같은 모양끼리 선으로 연결해 보세요.

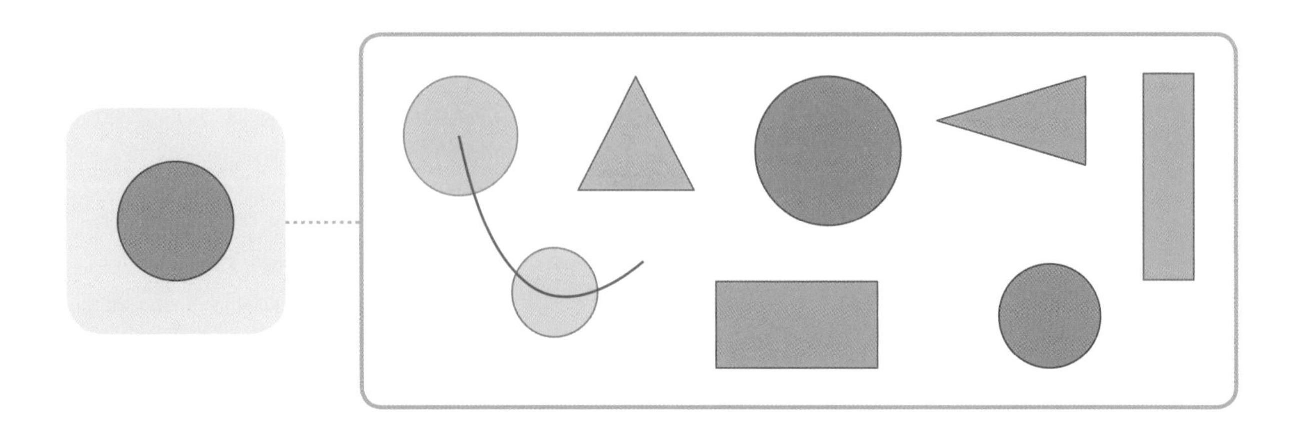

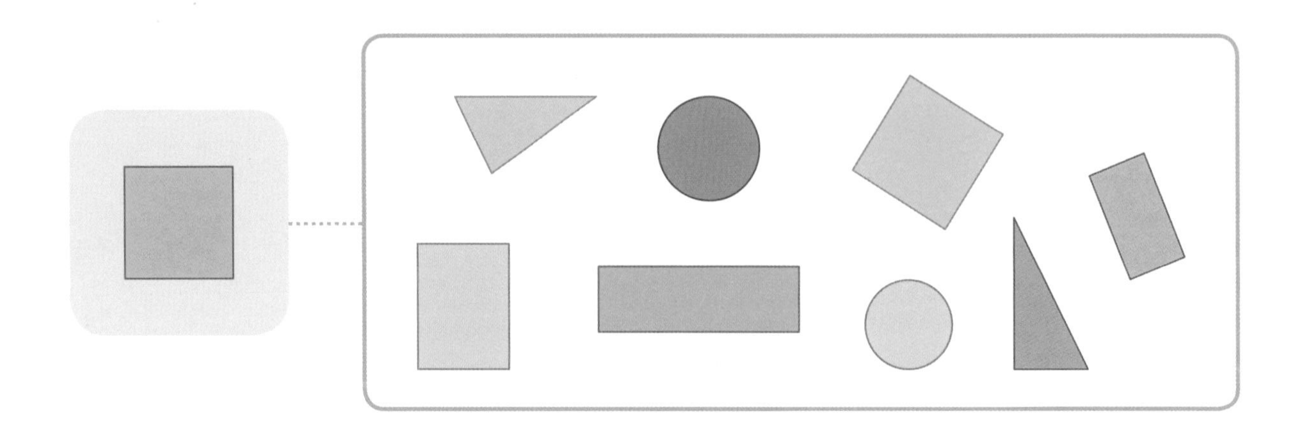

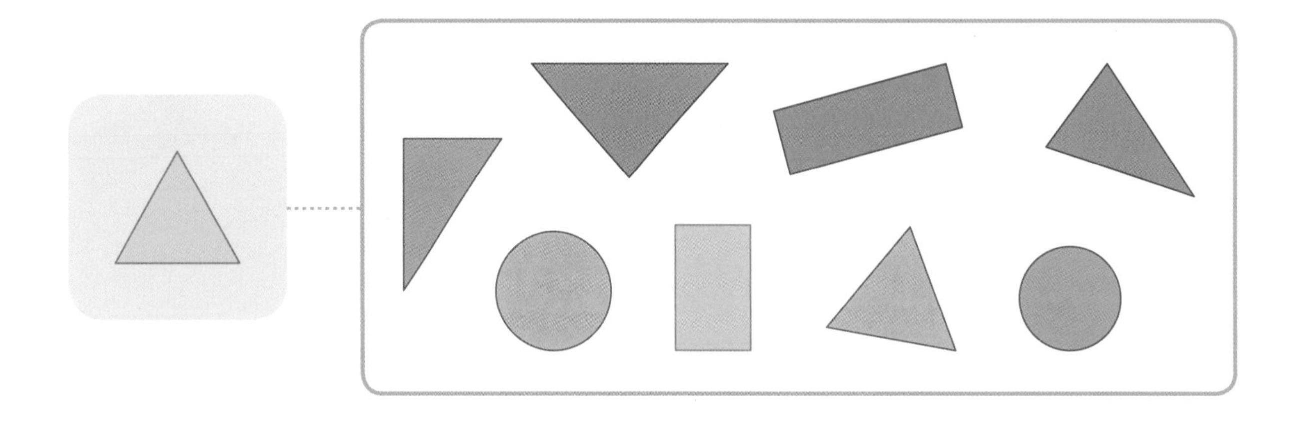

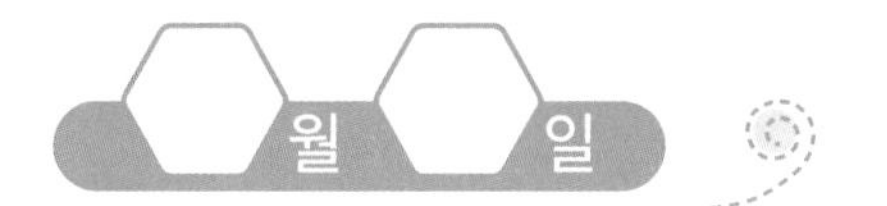

11 같은 모양 2개를 찾아 각각 ◯표 하세요.

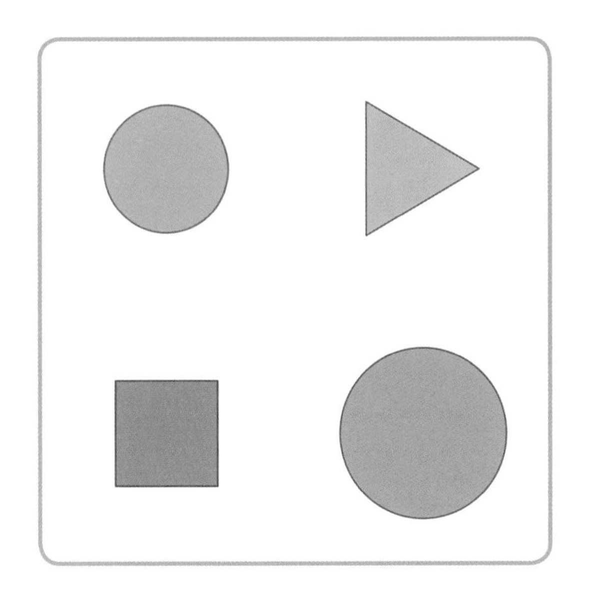

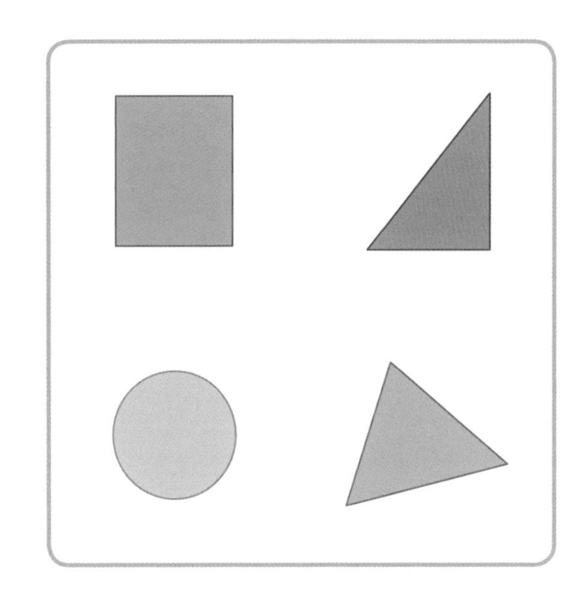

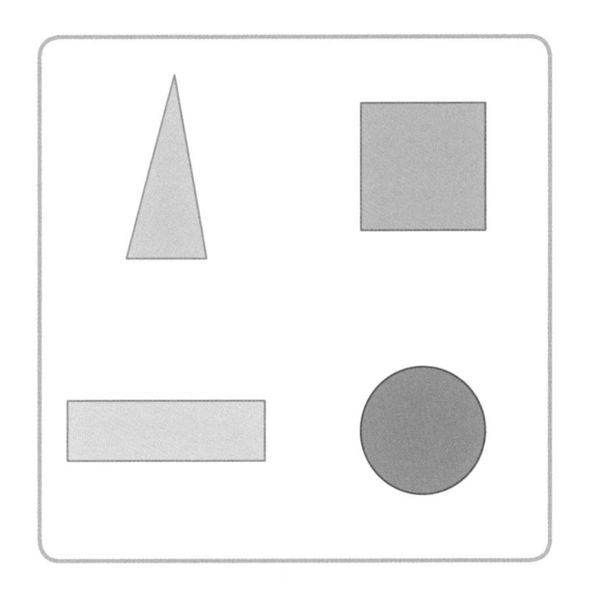

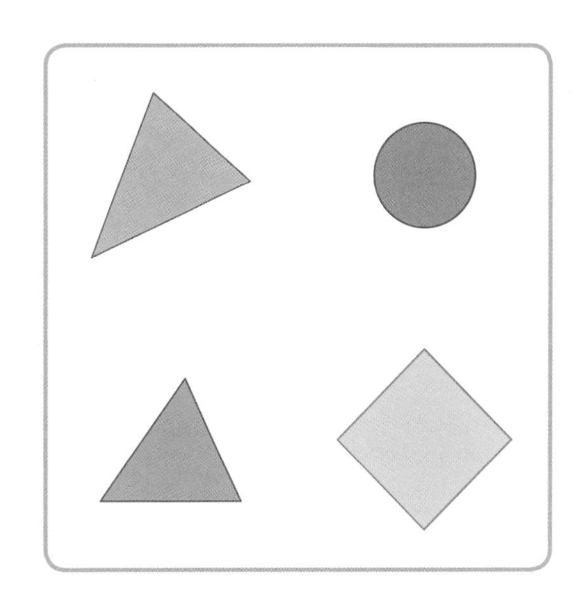

24일 모양 구분하기

□ 모양에는 □표, △ 모양에는 △표, ○ 모양에는 ○표 하세요.

(□)

(　　)

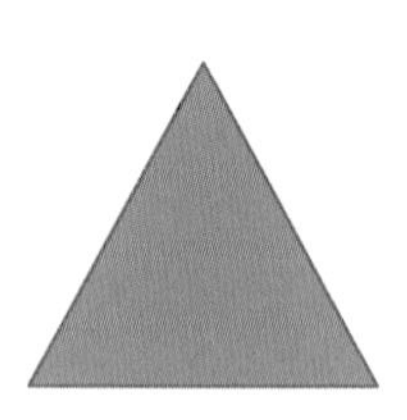

(　　)

(　　)

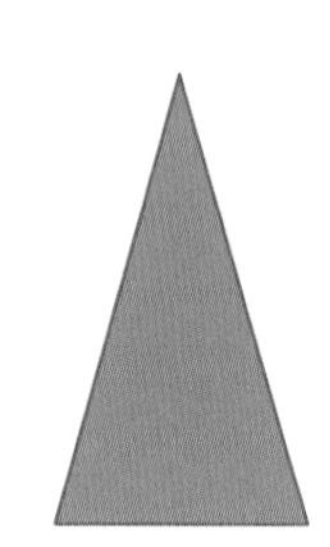

(　　)

(　　)

(　　)

(　　)

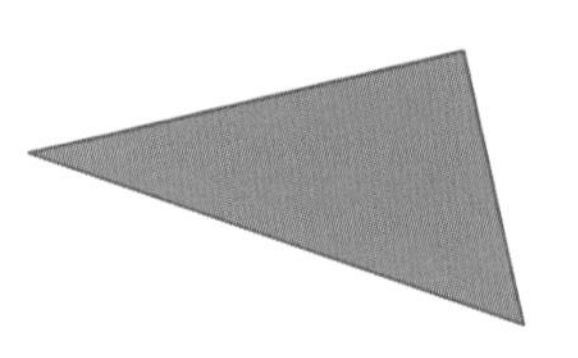

(　　)

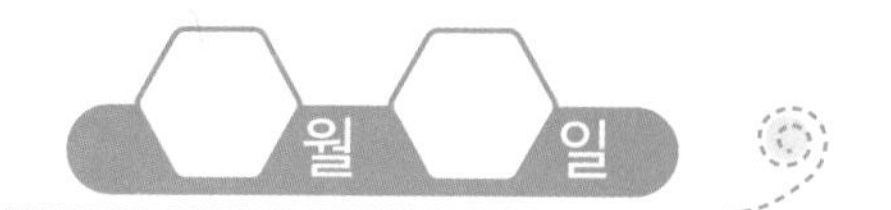

■ 모양은 초록색, ▲ 모양은 빨간색, ● 모양은 파란색으로 색칠해 보세요.

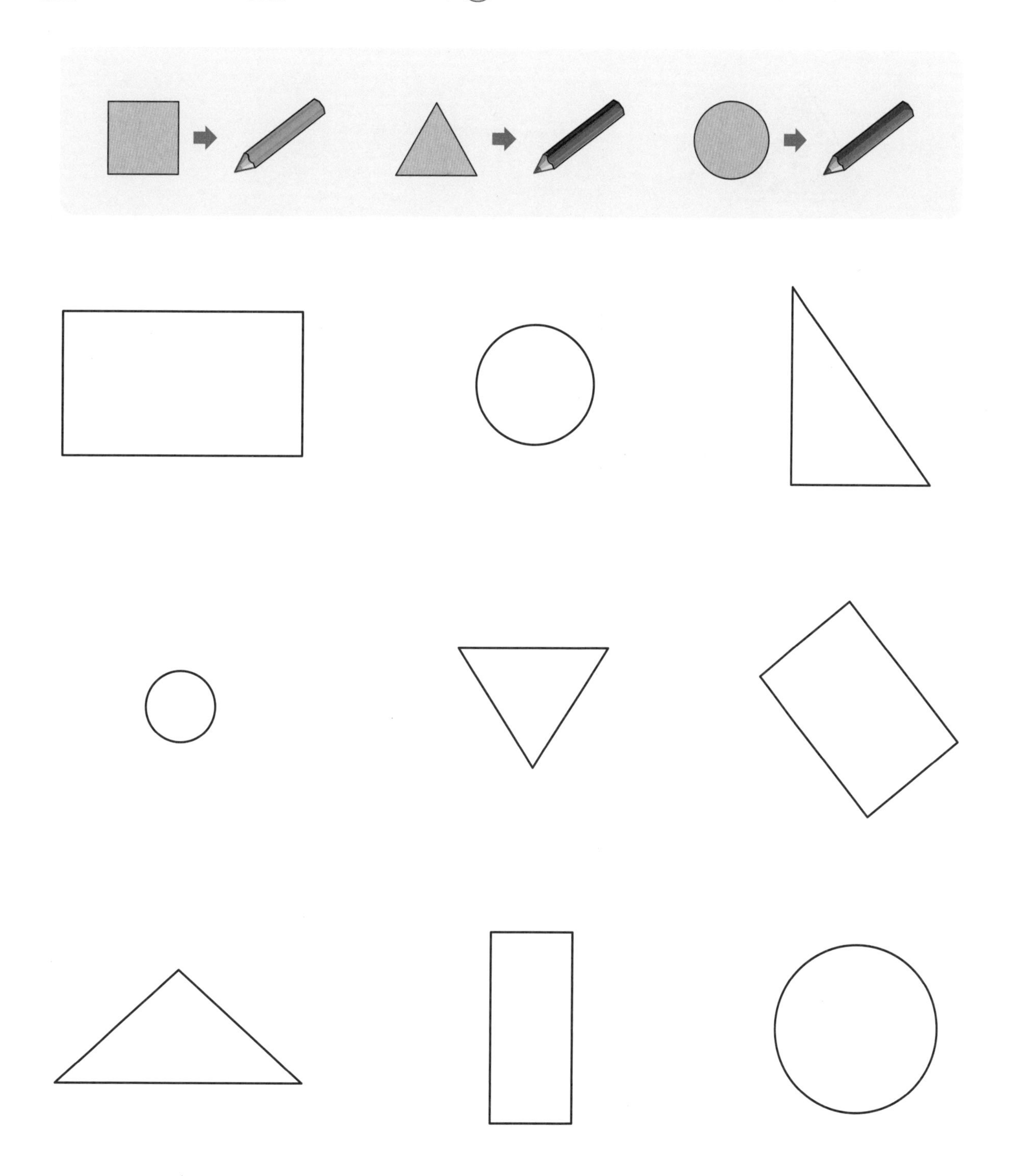

25일 모양 말하기

알맞은 말에 ○표 하세요.

표지판은 (■ , ▲ , ●) 모양입니다.

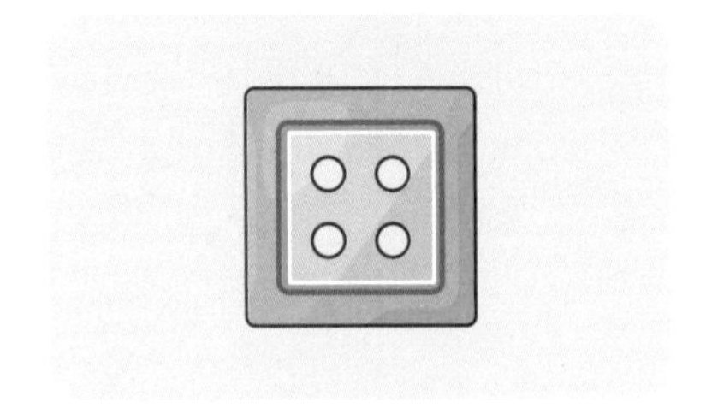

단추는 (■ , ▲ , ●) 모양입니다.

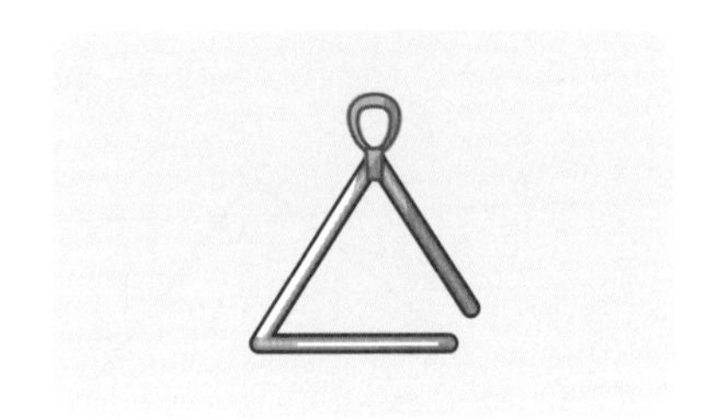

트라이앵글은 (■ , ▲ , ●) 모양입니다.

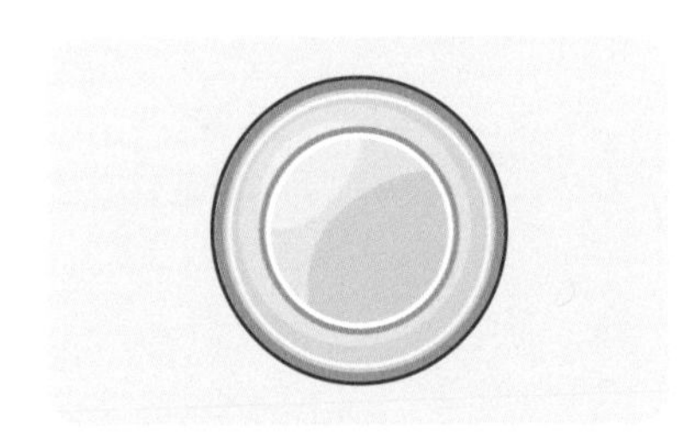

접시는 (■ , ▲ , ●) 모양입니다.

샌드위치는 (■ , ▲ , ●) 모양입니다.

11 빈칸에 알맞은 번호를 써넣으세요.

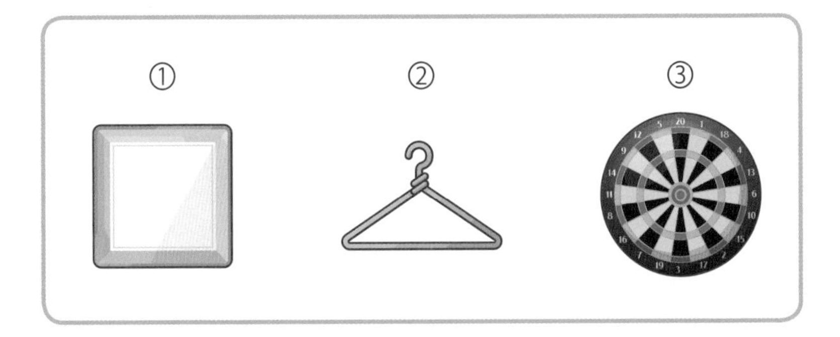

□ 모양은 (①) 입니다.

△ 모양은 ( ) 입니다.

○ 모양은 ( ) 입니다.

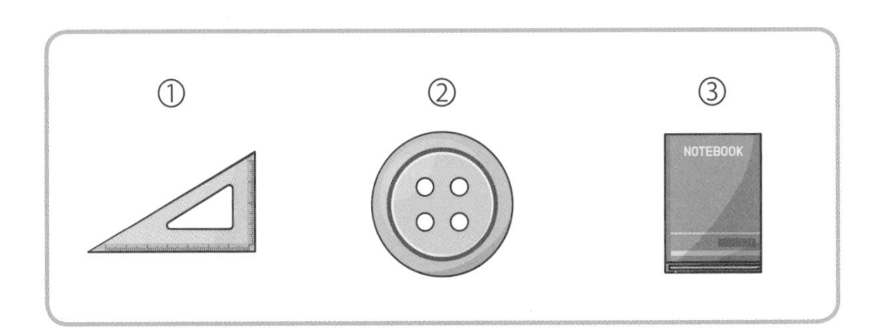

□ 모양은 ( ) 입니다.

△ 모양은 ( ) 입니다.

○ 모양은 ( ) 입니다.

① ② ③

□ 모양은 ( ) 입니다.

△ 모양은 ( ) 입니다.

○ 모양은 ( ) 입니다.

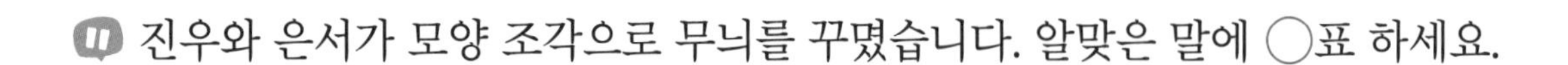

진우와 은서가 모양 조각으로 무늬를 꾸몄습니다. 알맞은 말에 ◯표 하세요.

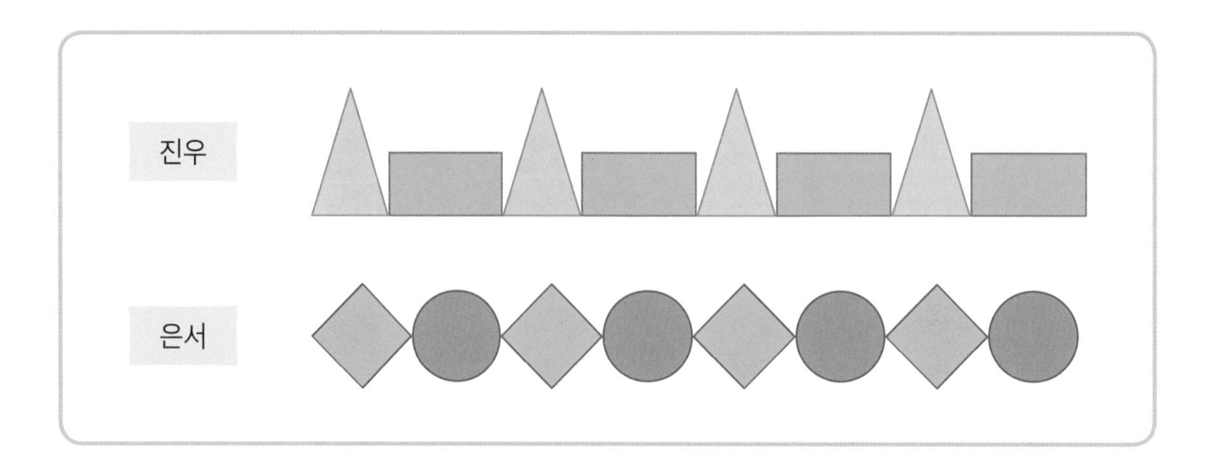

진우가 이용하지 않은 모양은 (■ , ▲ , ●) 모양입니다.

은서가 이용하지 않은 모양은 (■ , ▲ , ●) 모양입니다.

진우와 은서가 모두 이용한 모양은 (■ , ▲ , ●) 모양입니다.

2주차
26~30일

모양 그리기

26일 점선 따라 그리기

점선을 따라 여러 가지 모양을 그려 보세요.

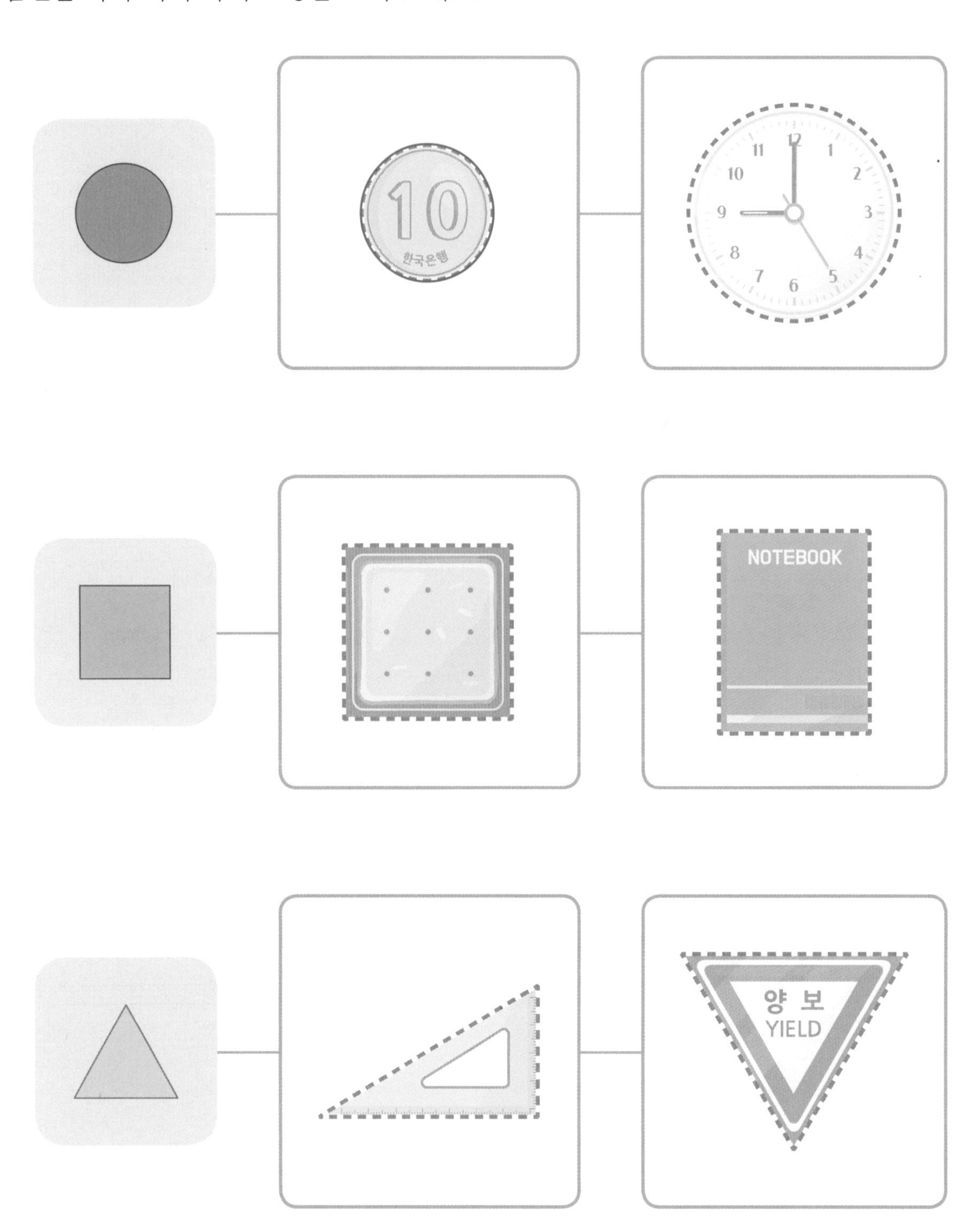

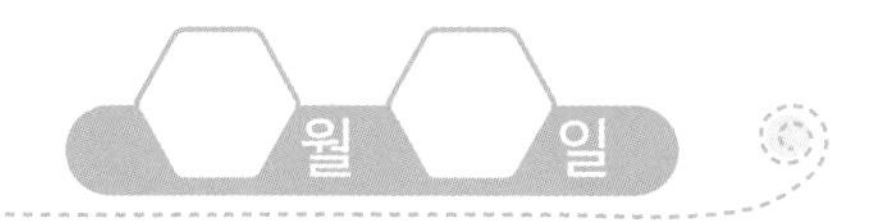

점선을 따라 여러 가지 모양을 그려 보세요.

■ 모양에는 □표, ▲ 모양에는 △표, ● 모양에는 ○표 하세요.

(　　　)

(　　　)

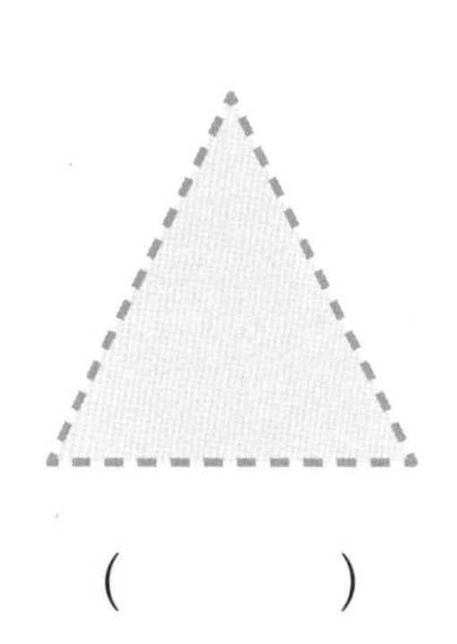

(　　　)

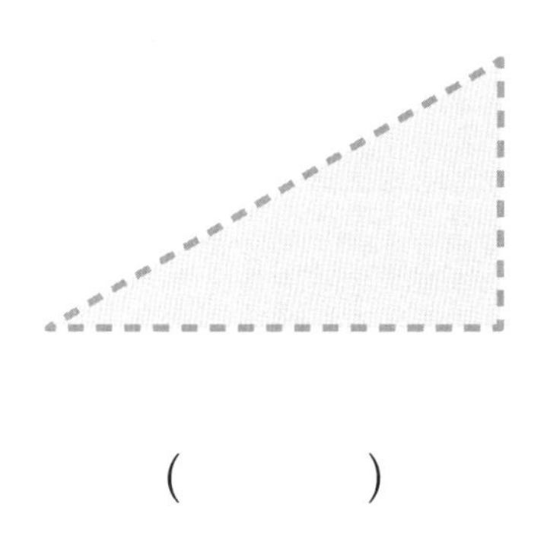

(　　　)

(　　　)

(　　　)

(　　　)

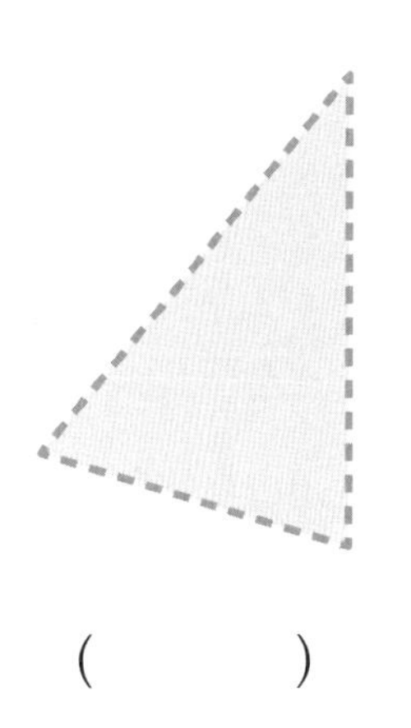

(　　　)

(　　　)

테두리 따라 그리기

1 테두리를 따라 그렸을 때 나오는 모양에 ◯표 하세요.

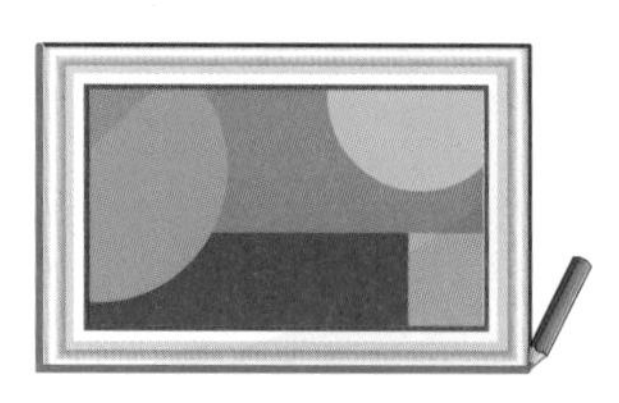

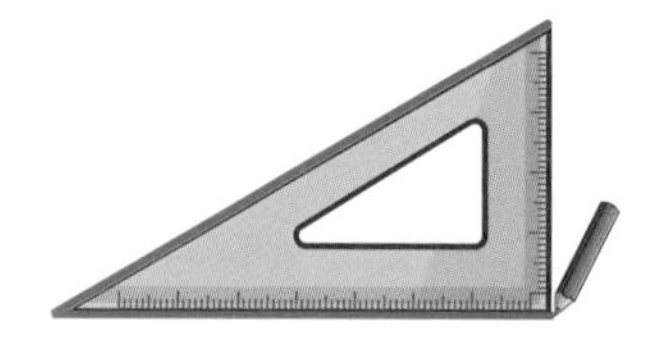

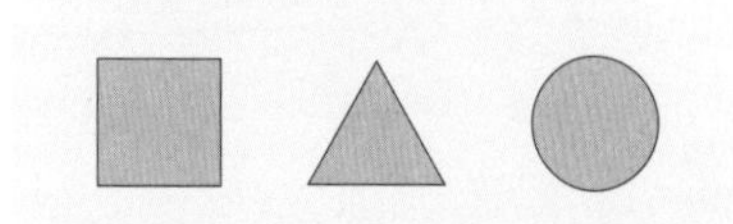

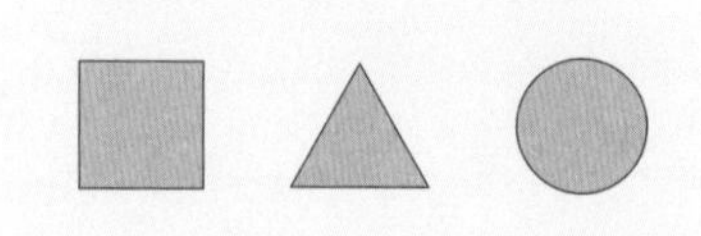

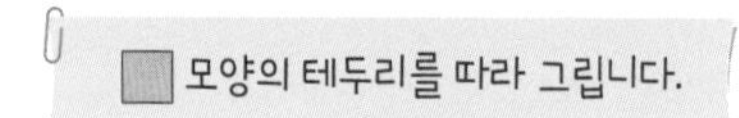

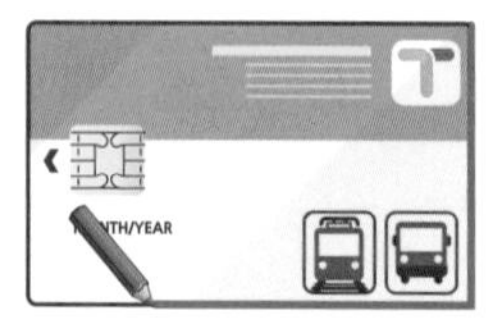

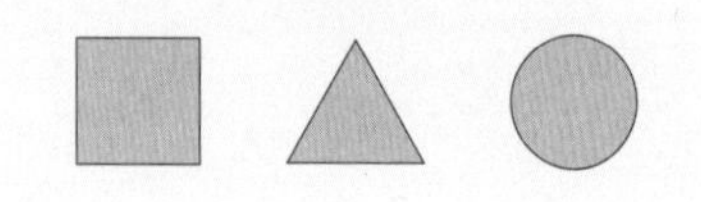

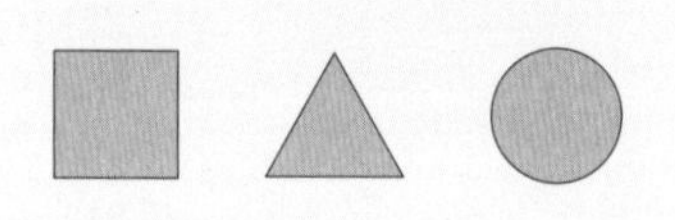

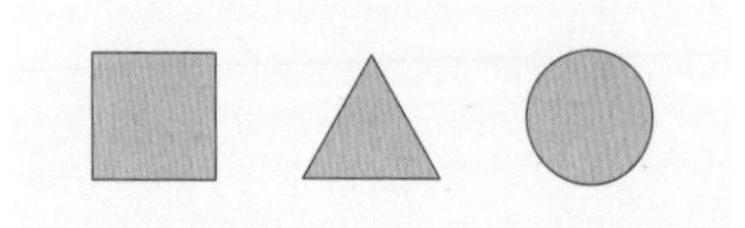

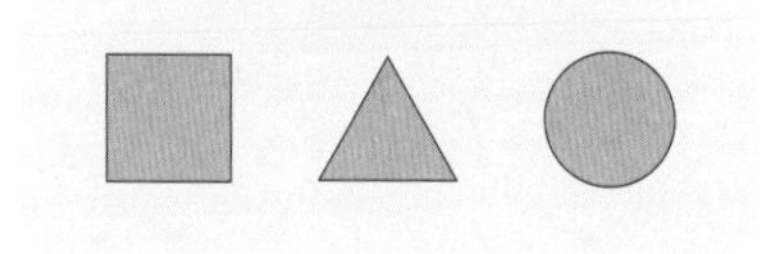

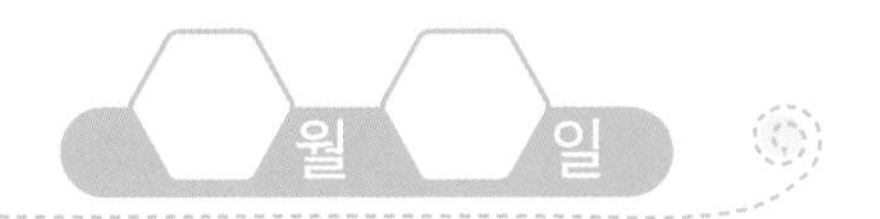

나무 조각을 바닥에 놓고 테두리를 따라 그렸을 때 나오는 모양에 ◯표 하세요.

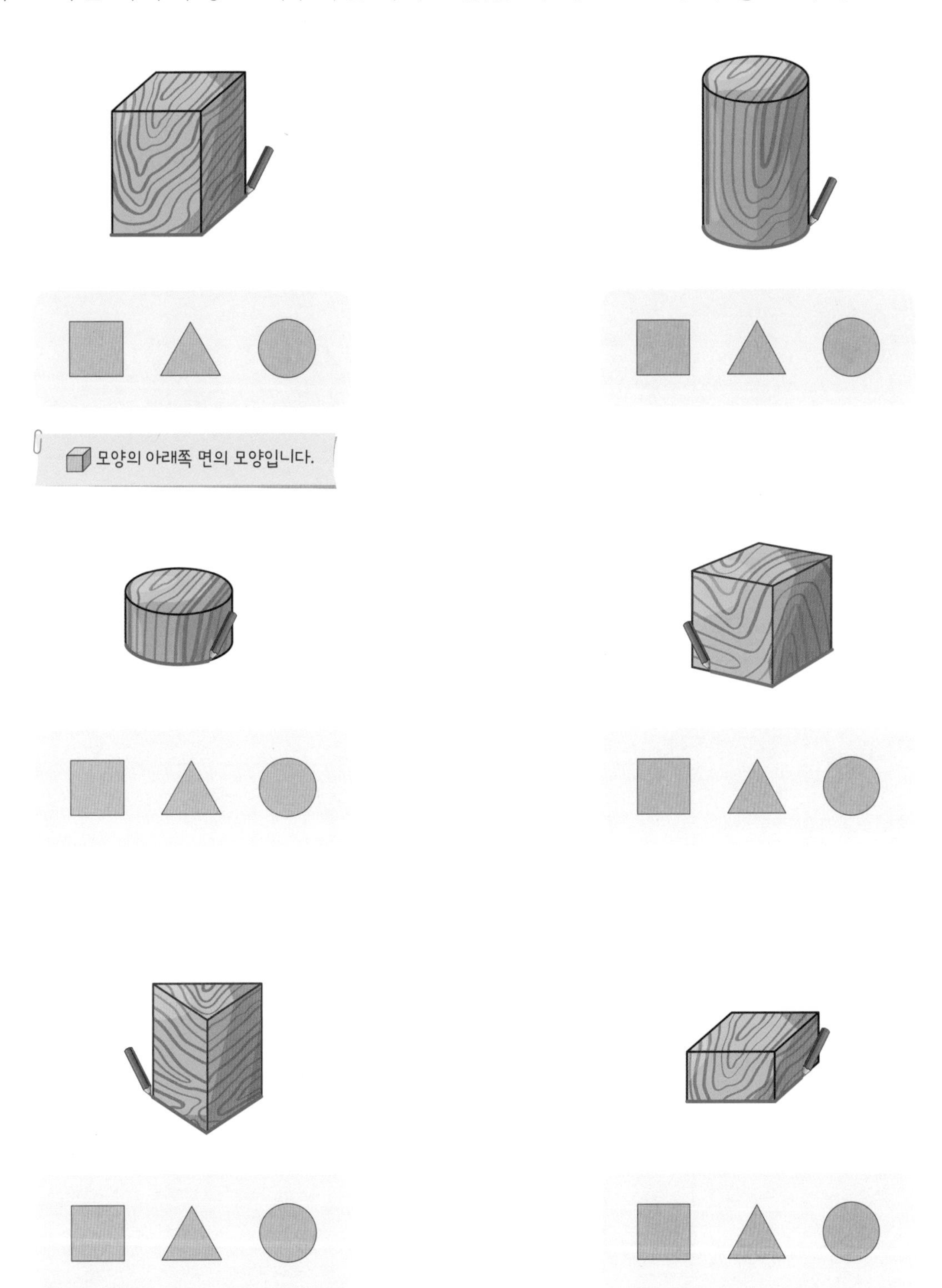

모양 완성하기

편평한 선 1개를 더 그어 ■와 ▲ 모양을 완성해 보세요.

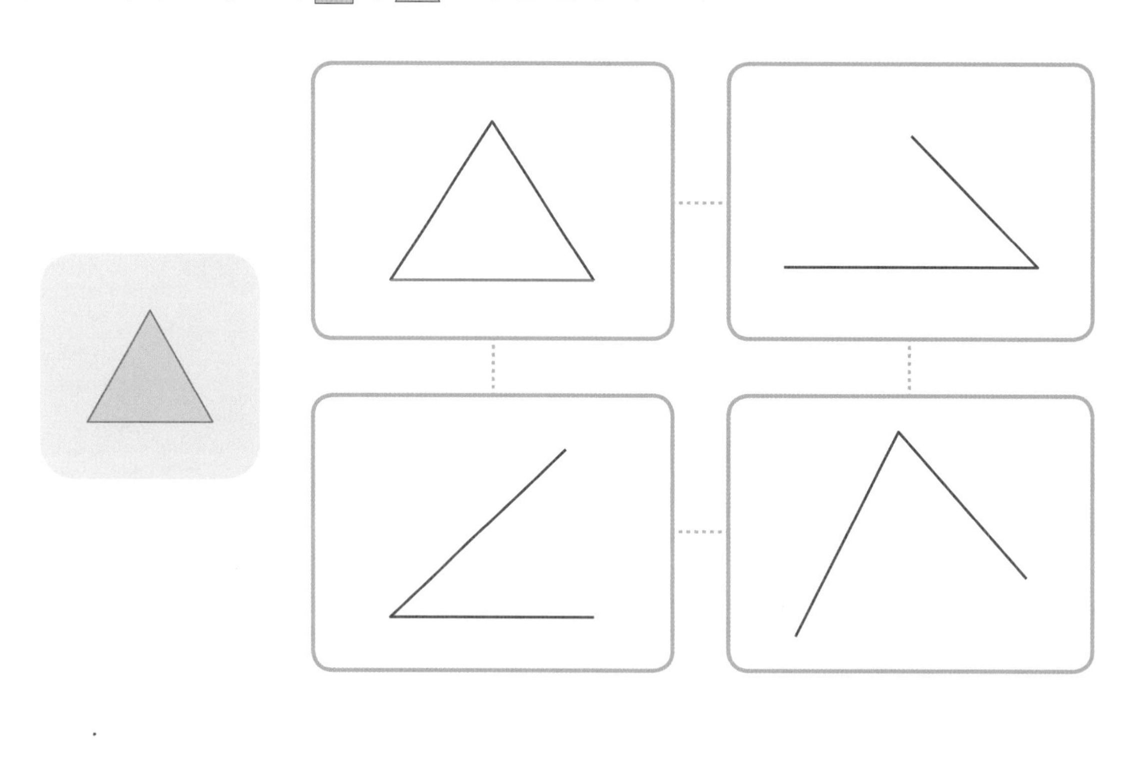

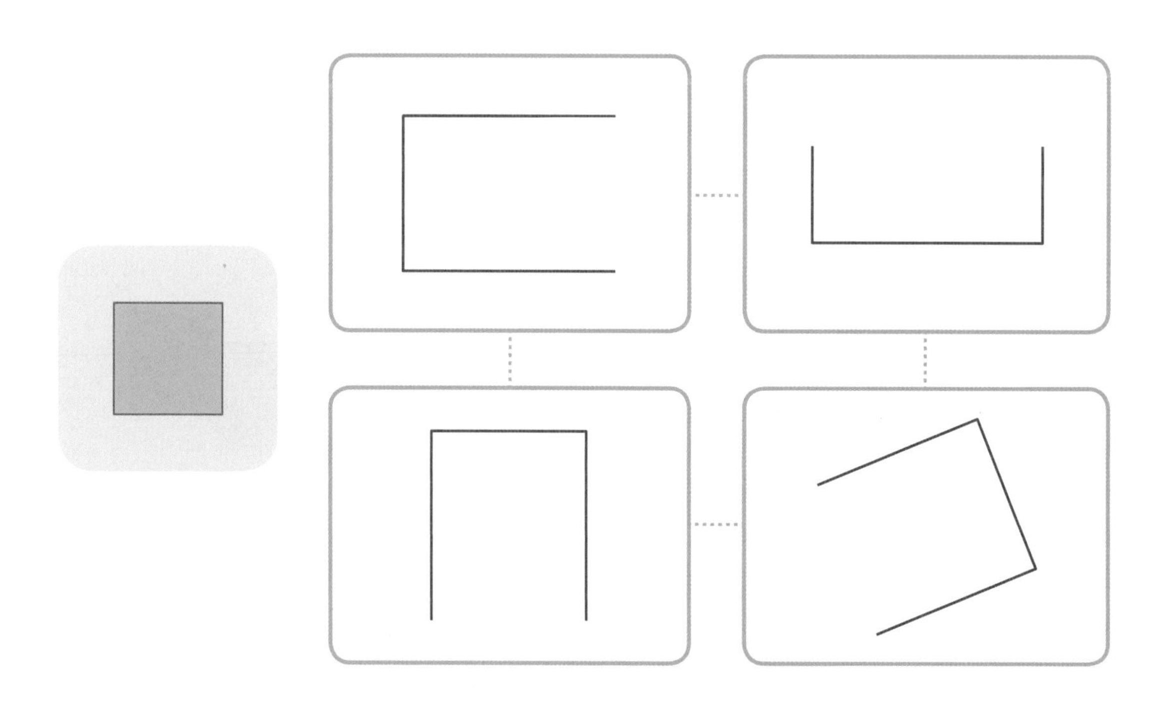

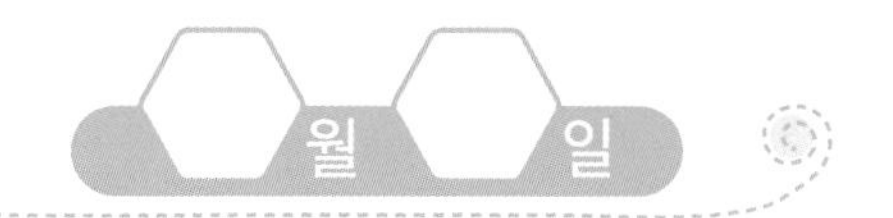

■, ▲, ● 모양을 그리고 있습니다. 편평한 선 또는 둥근 선을 그어 모양을 완성하고, 알맞은 모양에 ◯표 하세요.

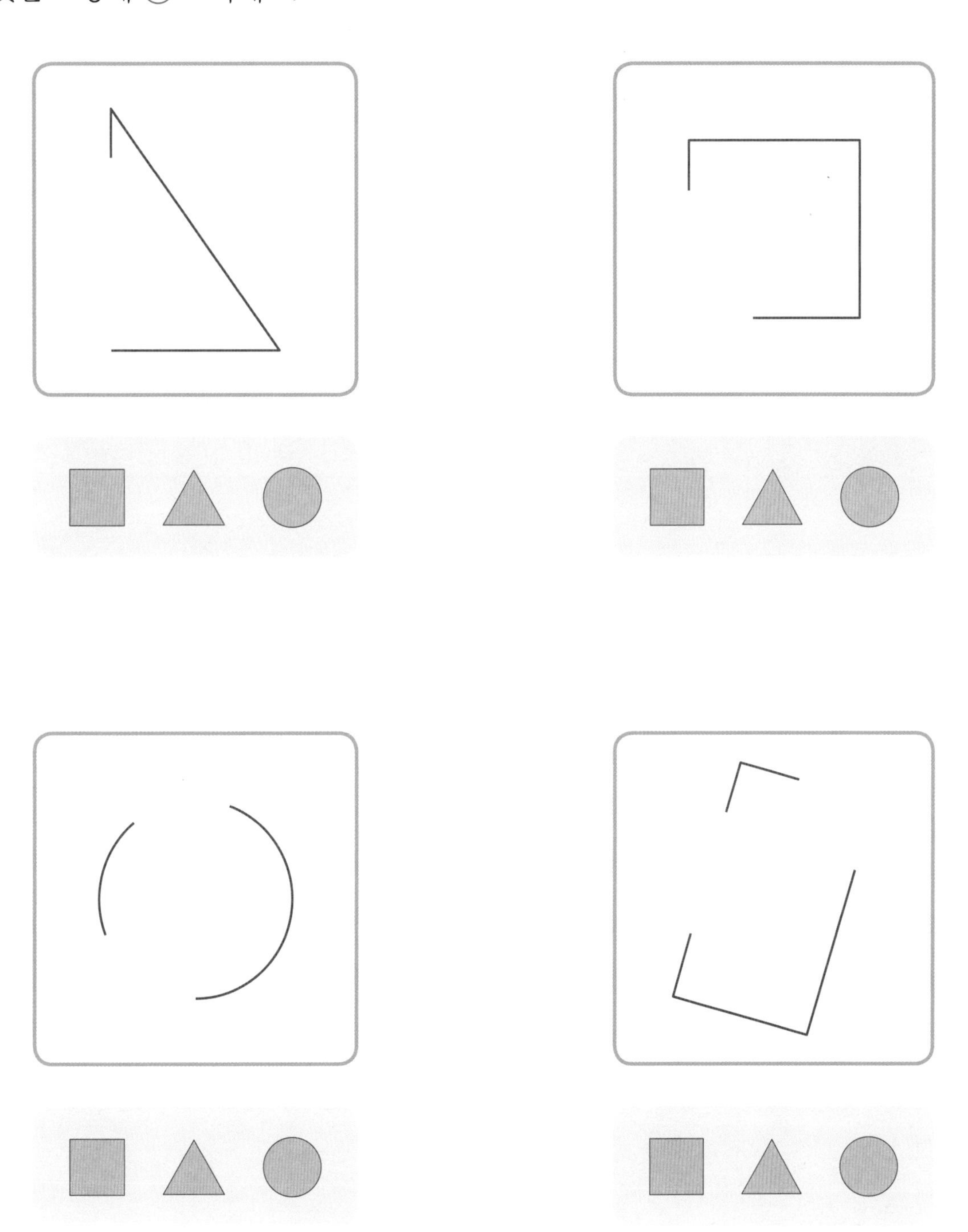

29일 점 이어 그리기

1-2-3-1의 순서대로 이어 ▲ 모양을 그려 보세요.

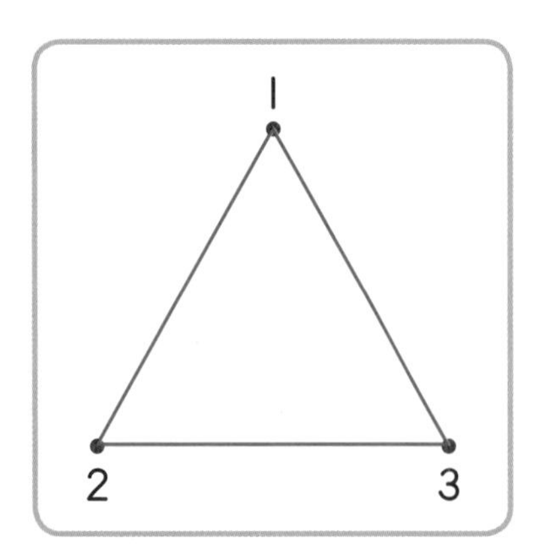

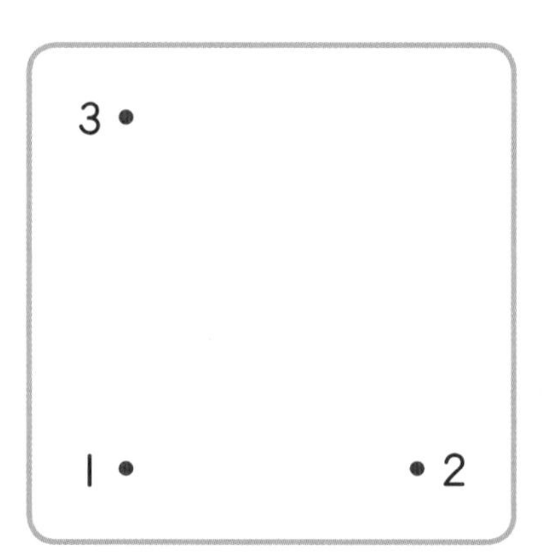

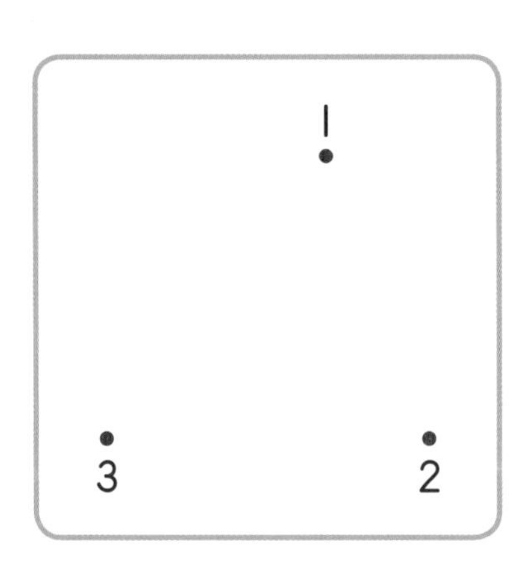

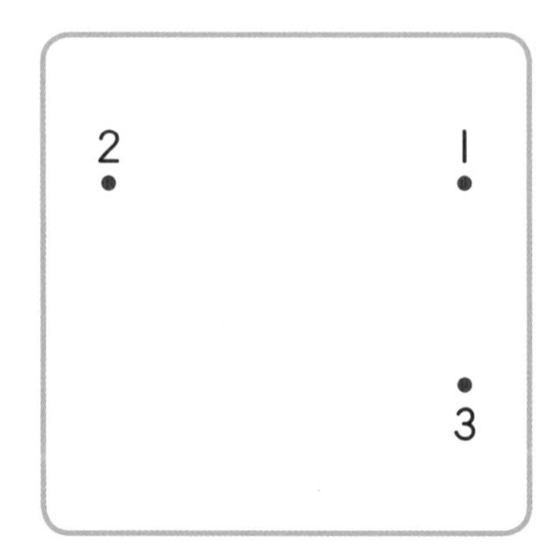

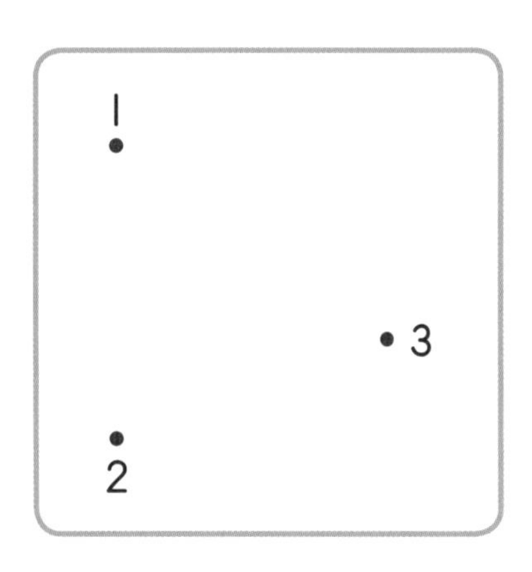

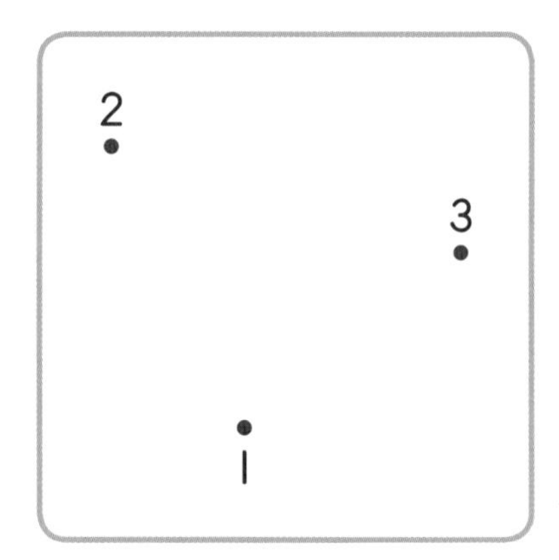

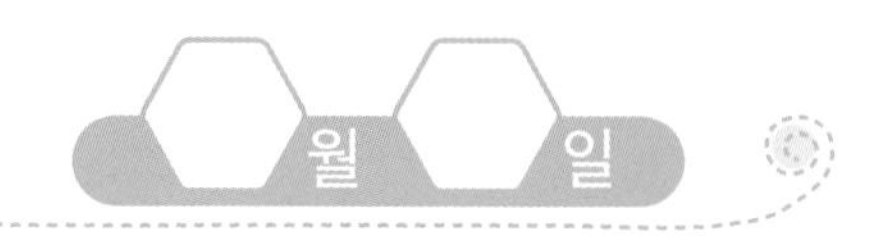

Ⅰ-2-3-4-Ⅰ의 순서대로 이어 모양을 그려 보세요.

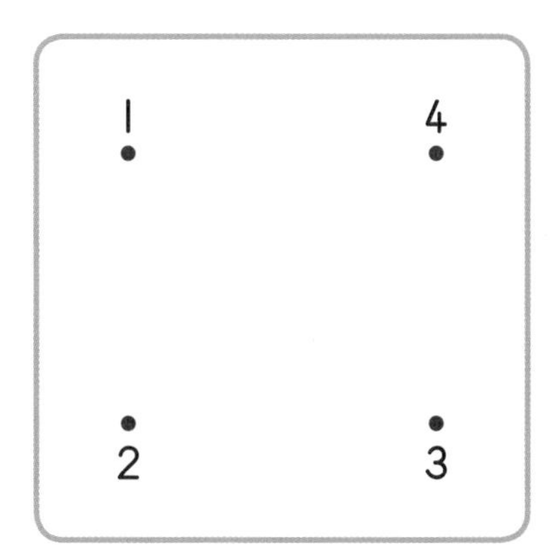

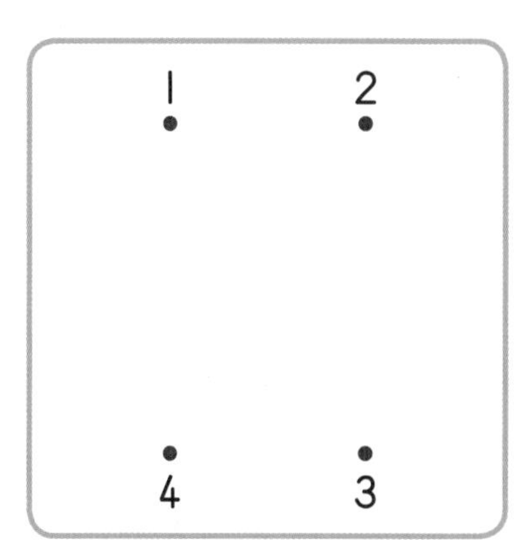

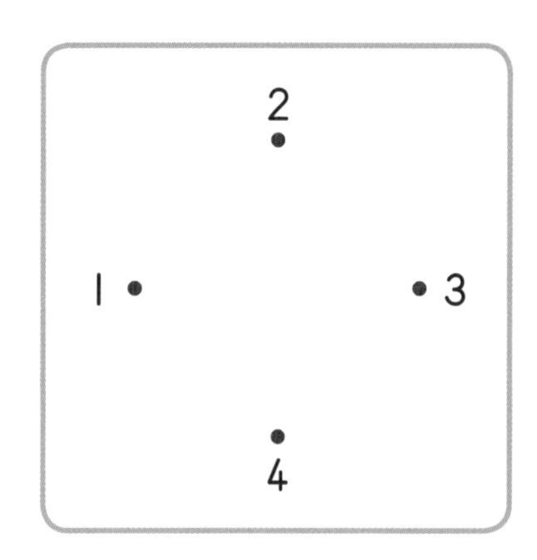

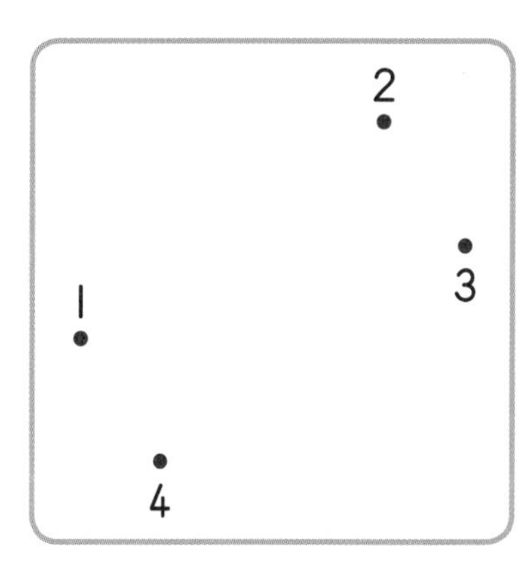

30일 똑같이 그리기

점을 이어 ▒ 모양을 똑같이 그려 보세요.

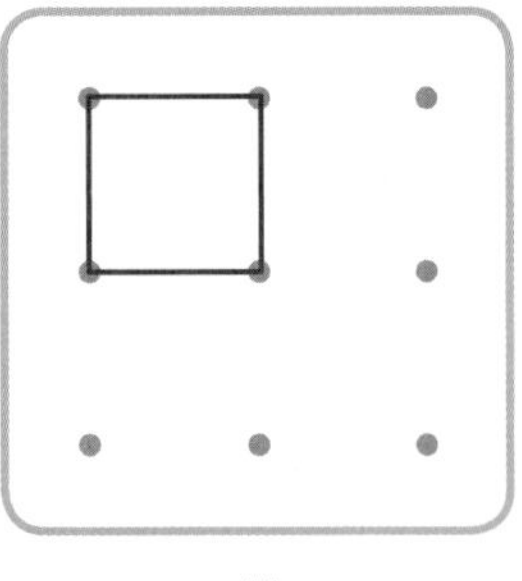

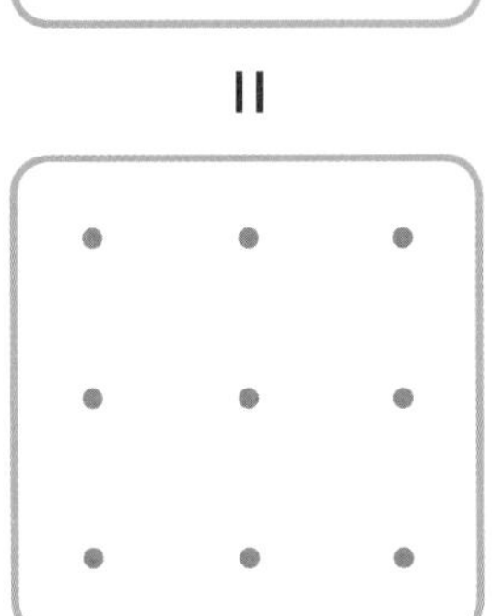

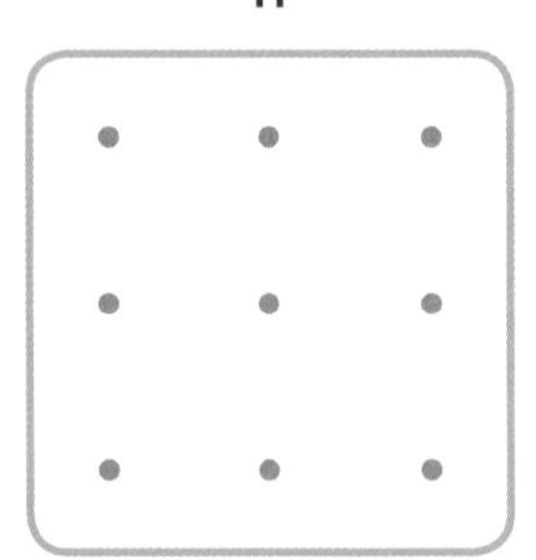

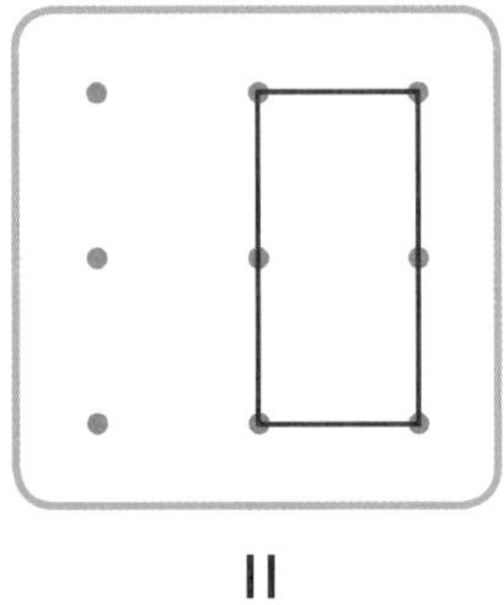

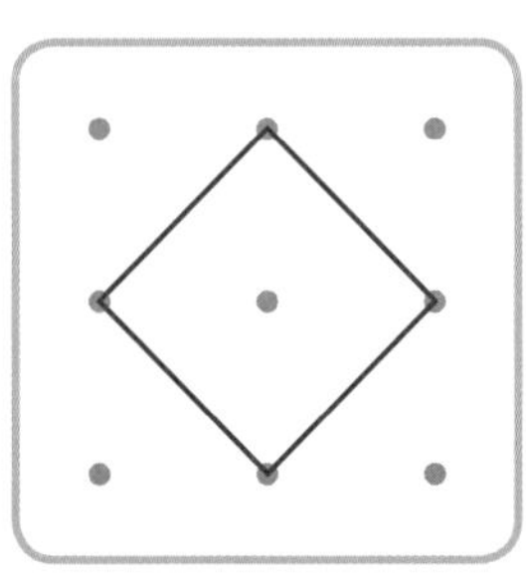

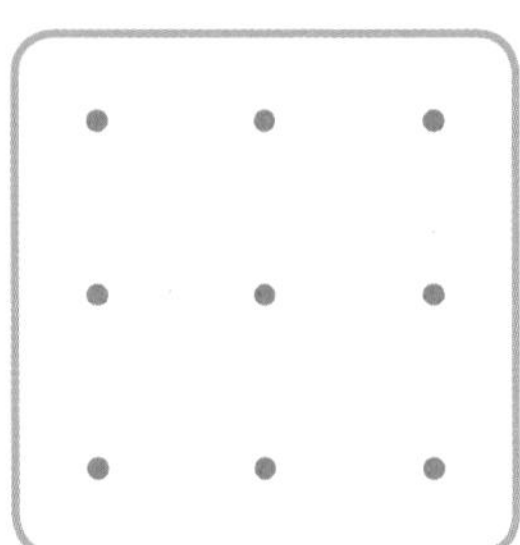

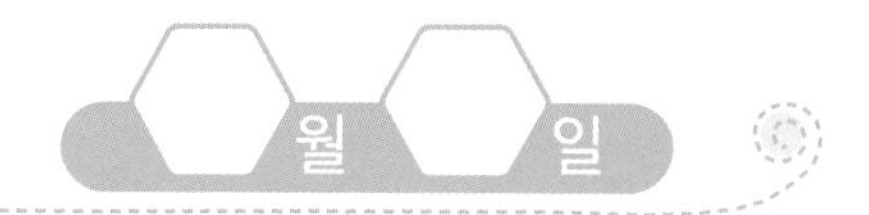

점을 이어 △ 모양을 똑같이 그려 보세요.

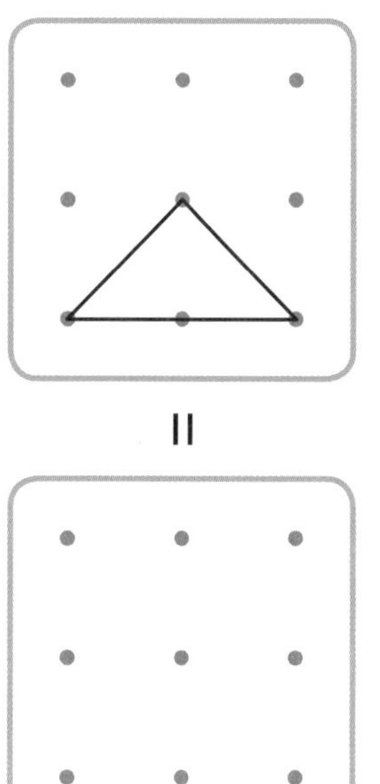
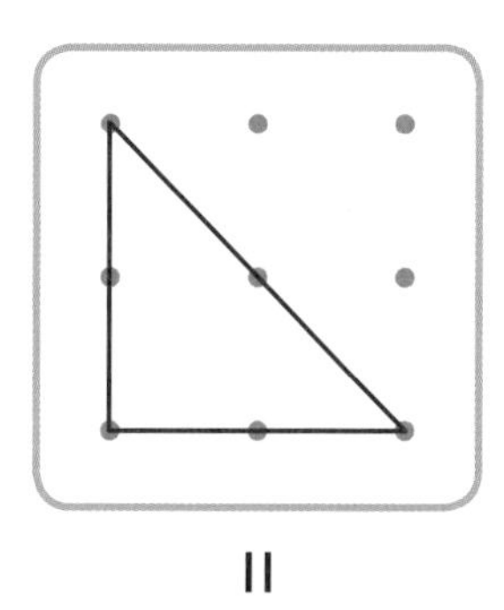
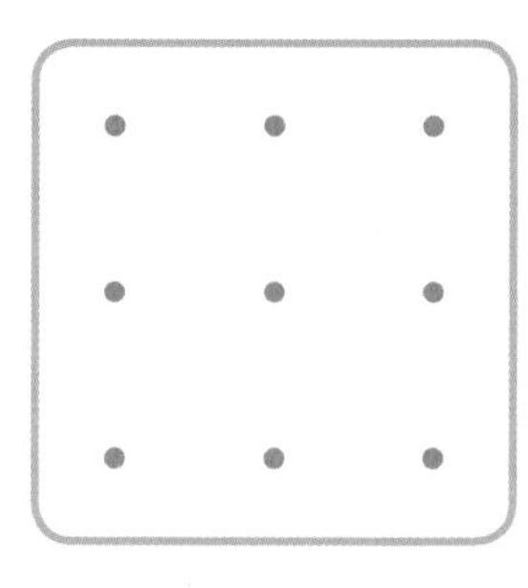
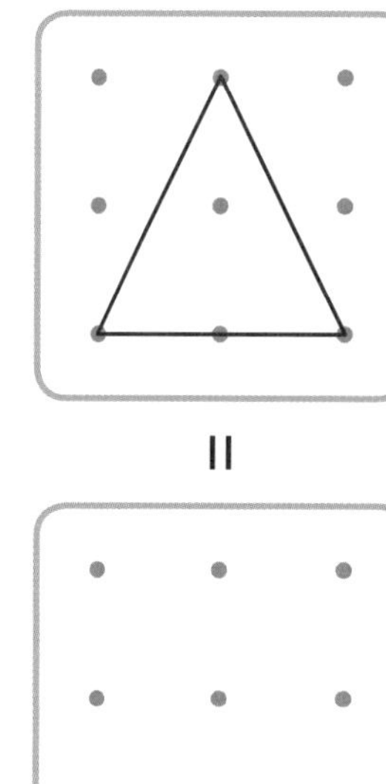

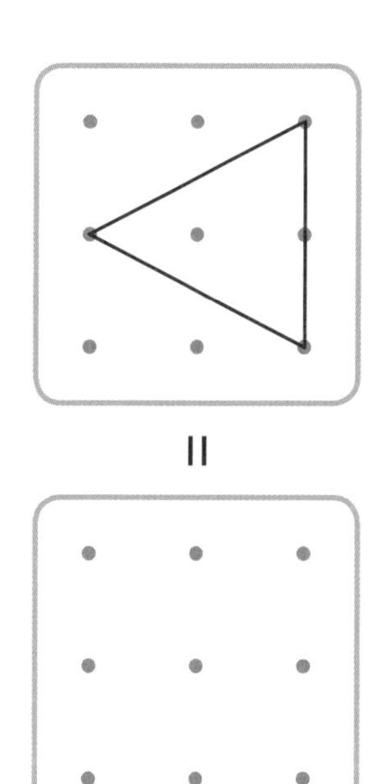
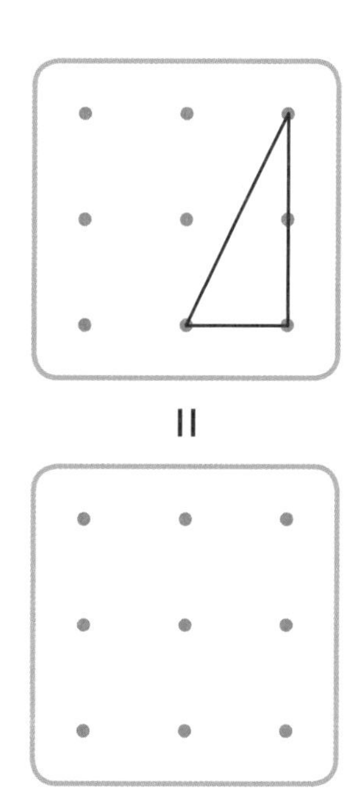
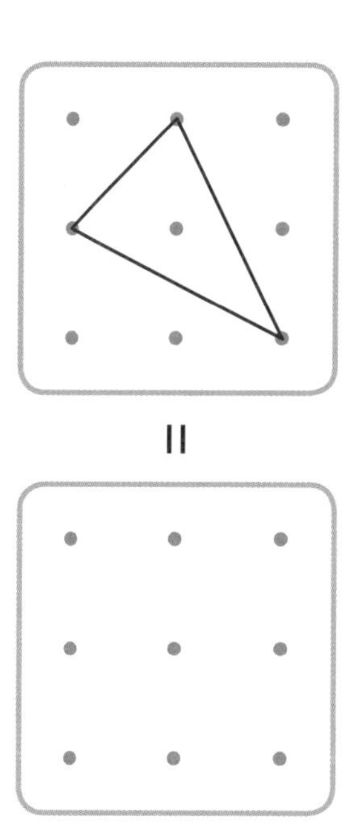

점을 이어 ▢와 △ 모양을 똑같이 그려 보세요.

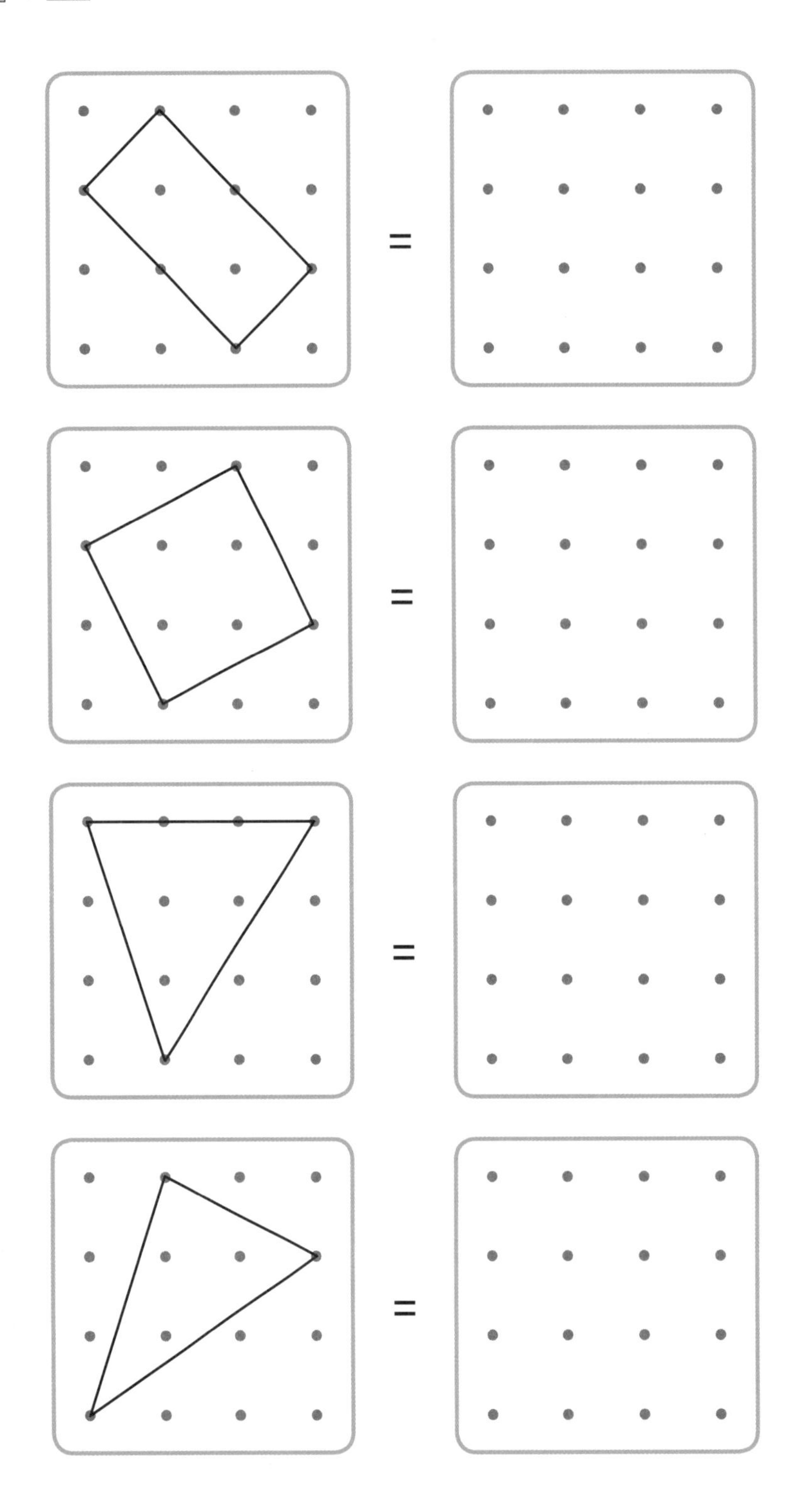

3주차
31~35일

같은 모양 모으기

31일 모은 모양 찾기

같은 모양끼리 모았습니다. 어떤 모양끼리 모았는지 ○표 하세요.

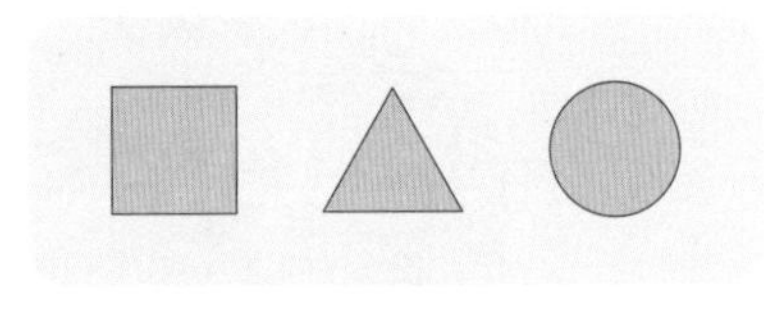

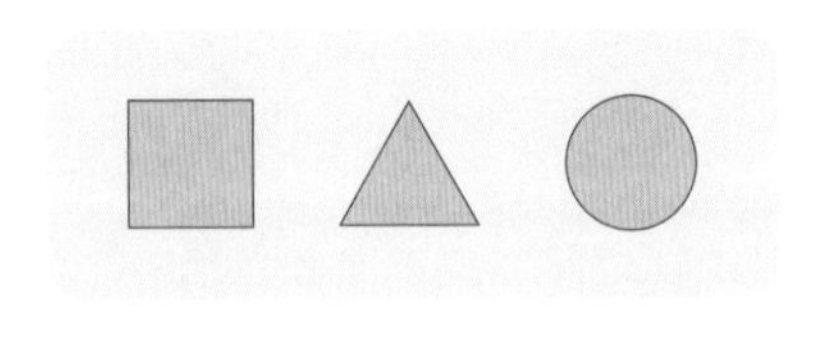

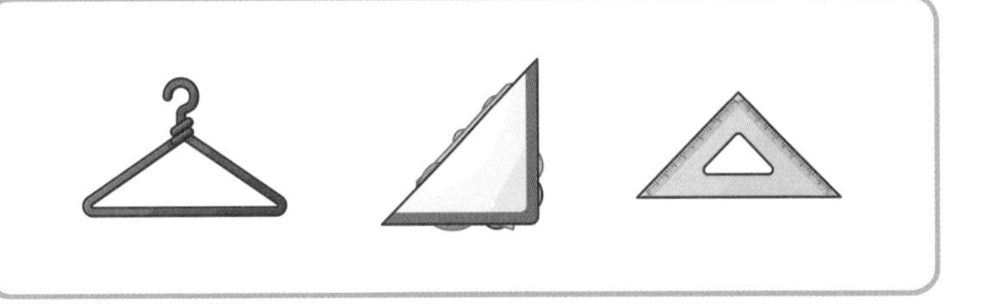

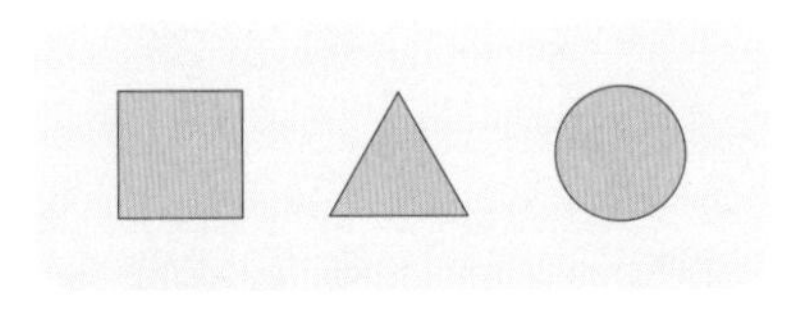

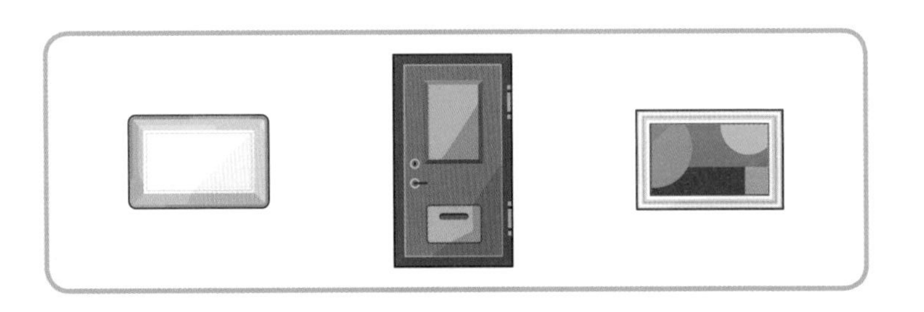

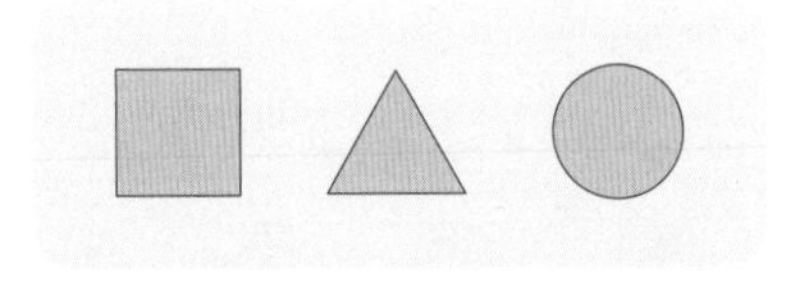

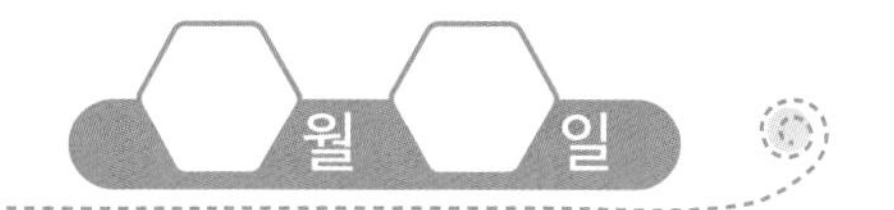

같은 모양끼리 모았습니다. 어떤 모양끼리 모았는지 ◯표 하세요.

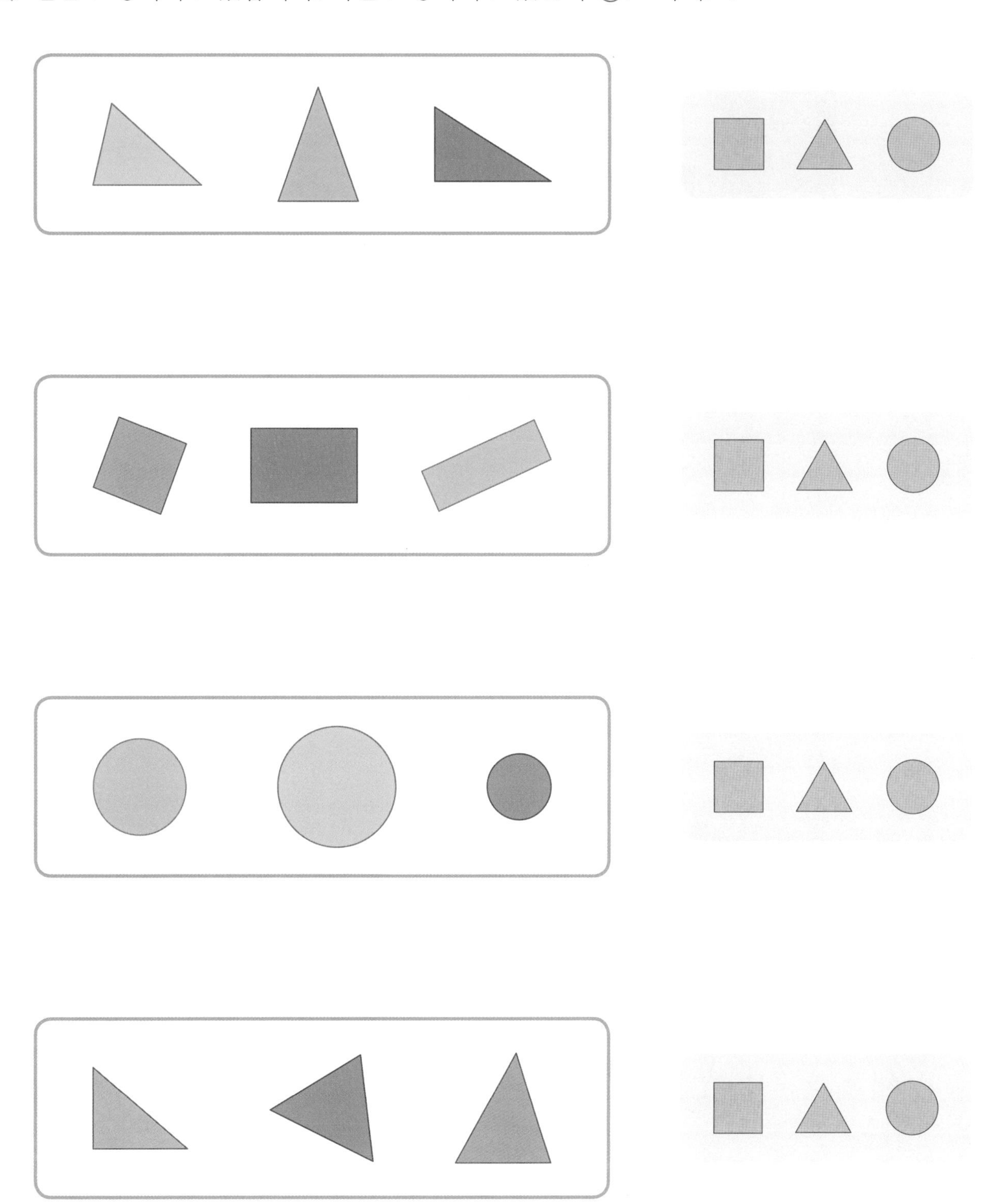

32일 같은 모양끼리 모으기

1 같은 모양끼리 모은 것에 ○표, 아닌 것에 ×표 하세요.

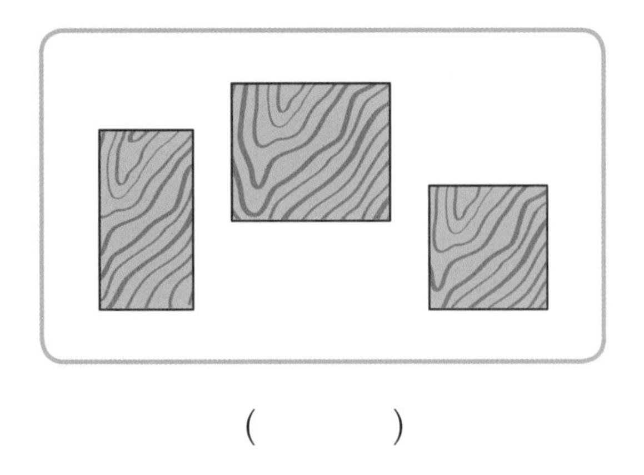

(　　　)

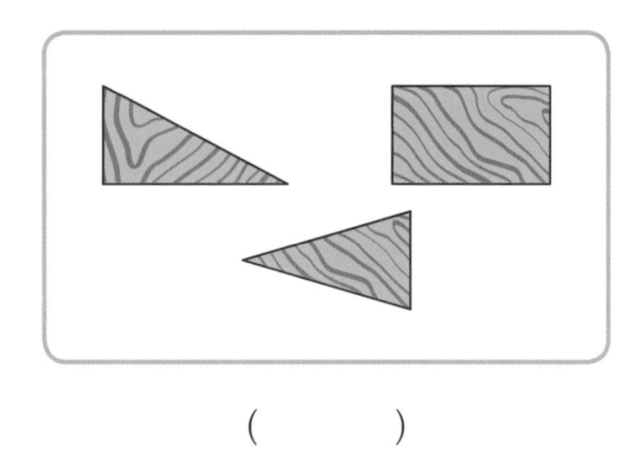

(　　　)

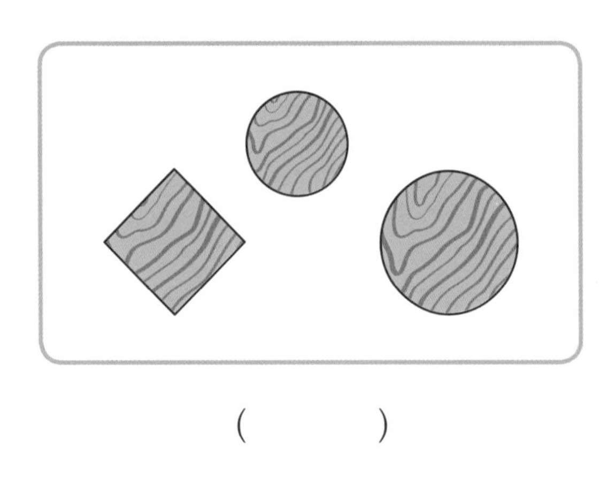

(　　　)

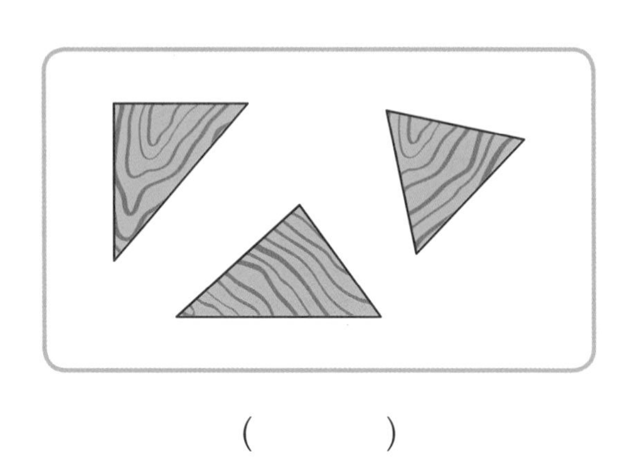

(　　　)

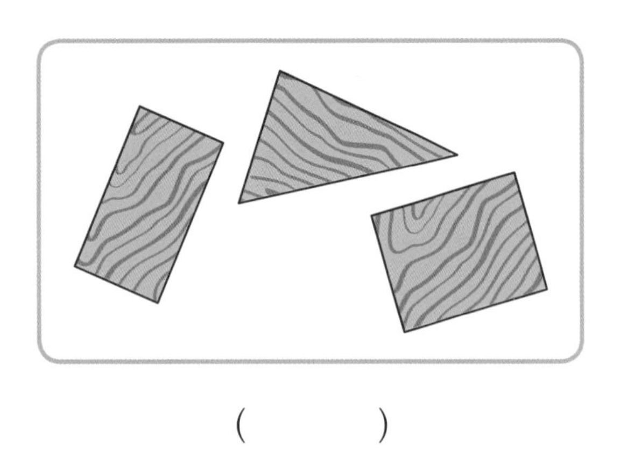

(　　　)

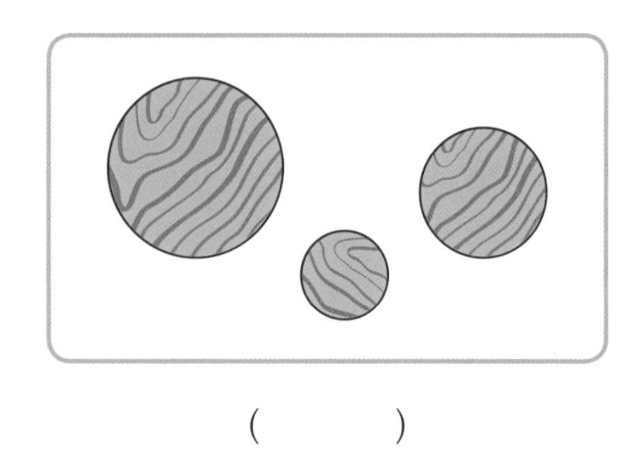

(　　　)

같은 모양끼리 묶어 보세요.

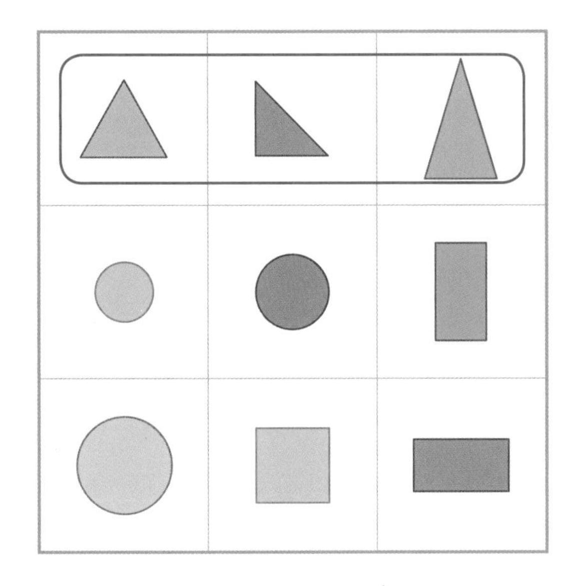

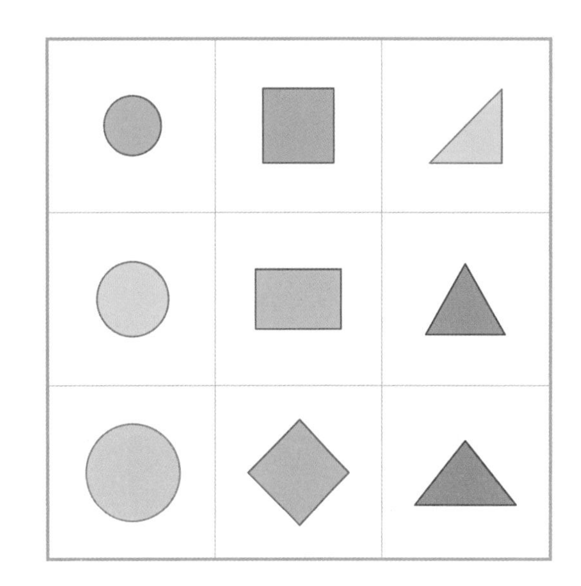

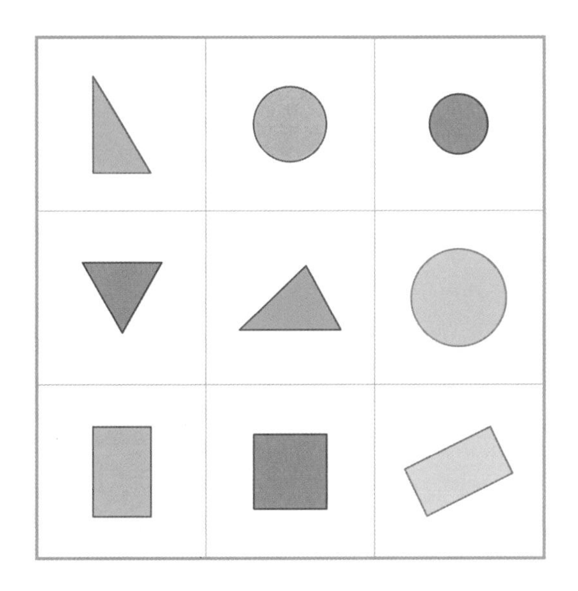

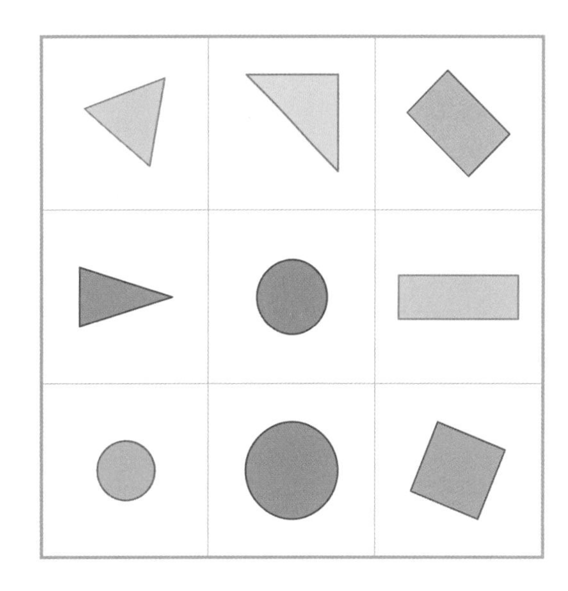

33일 다른 모양 찾기

❶ 같은 모양끼리 모으려고 합니다. 잘못 모은 것 하나를 찾아 ×표 하세요.

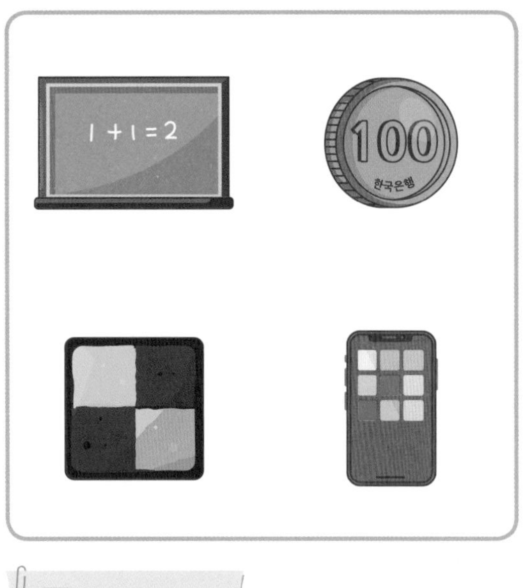

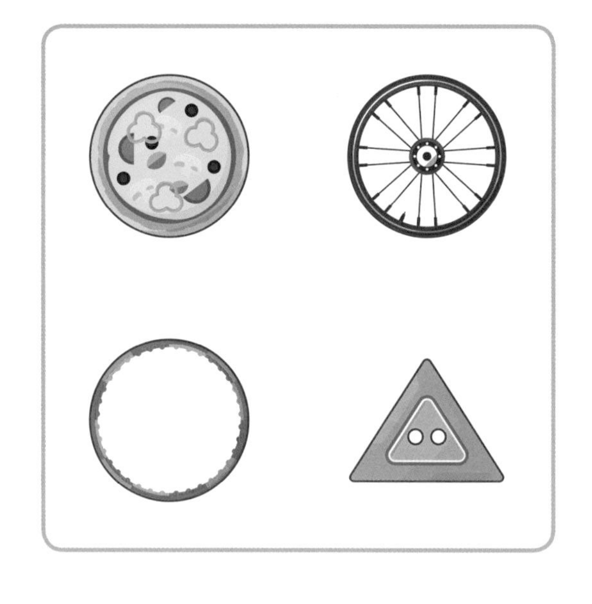

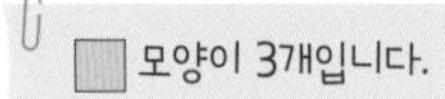

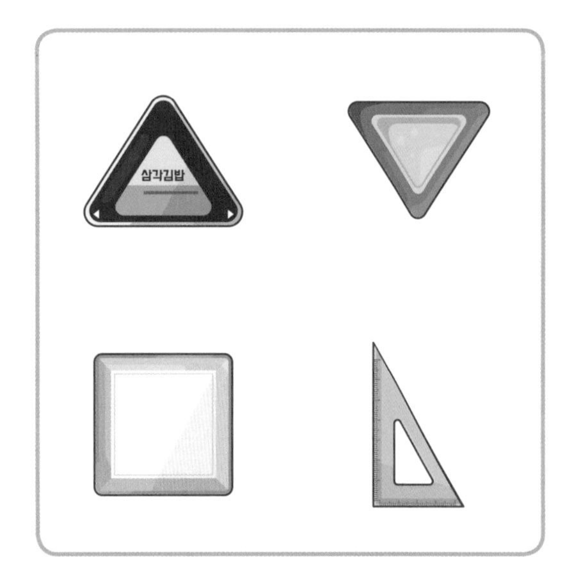

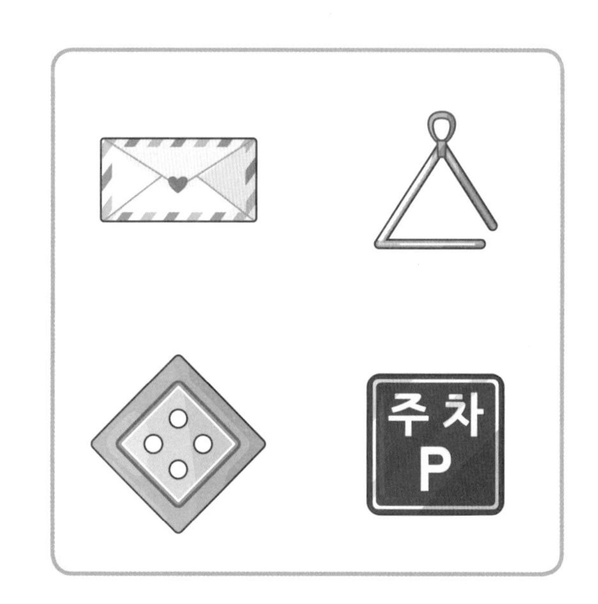

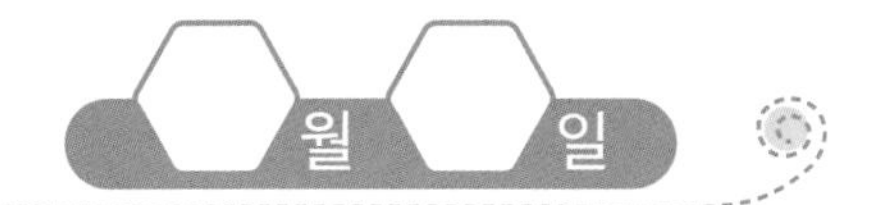

나머지와 다른 모양 하나를 찾아 ╳표 하세요.

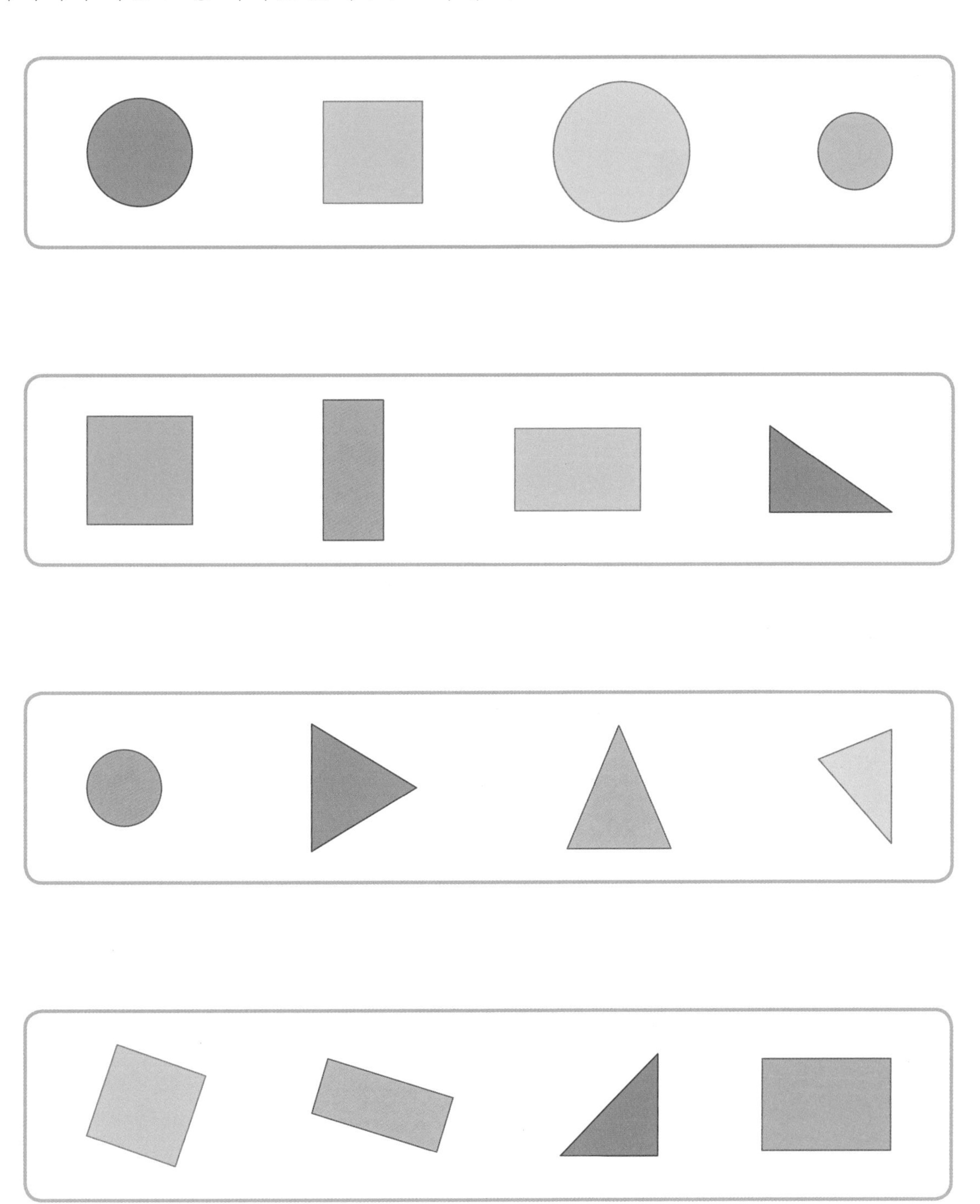

34일 찾을 수 있는 모양

물음에 답하세요.

■ 모양의 번호를 모두 써 보세요. ① , □

▲ 모양의 번호를 모두 써 보세요. □ , □

● 모양의 번호를 모두 써 보세요. □ , □

물음에 답하세요.

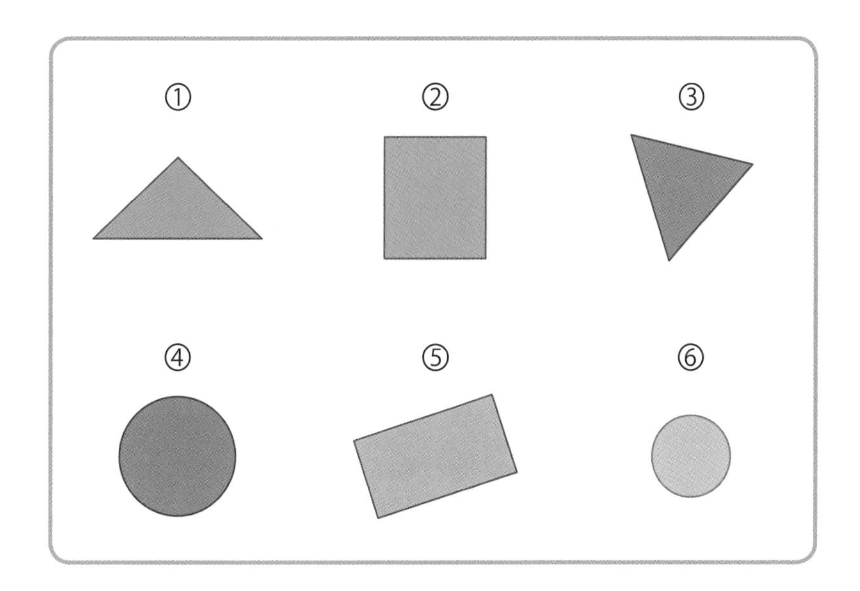

■ 모양의 번호를 모두 써 보세요. □, □

▲ 모양의 번호를 모두 써 보세요. □, □

● 모양의 번호를 모두 써 보세요.

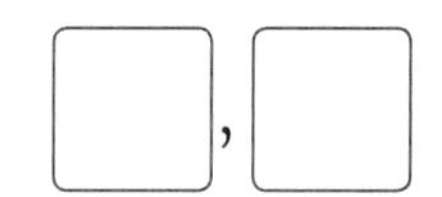

35일 모양의 개수

모양별로 개수를 세어 보세요.

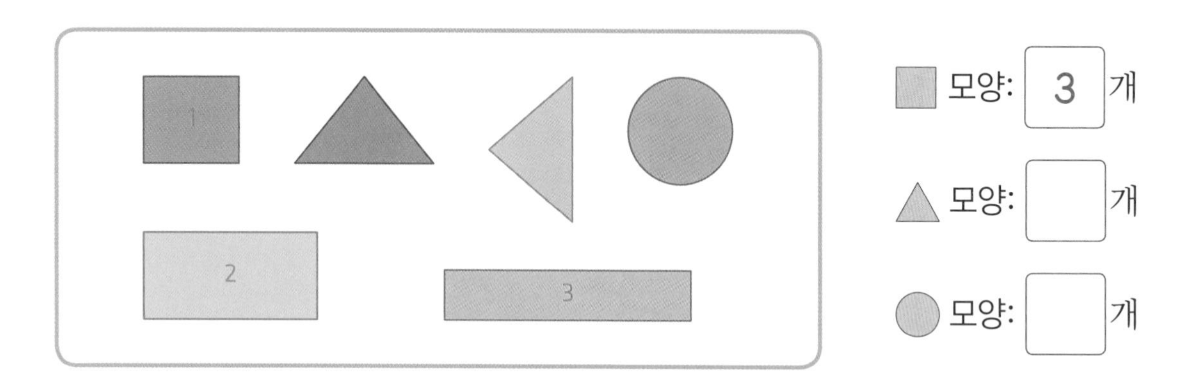

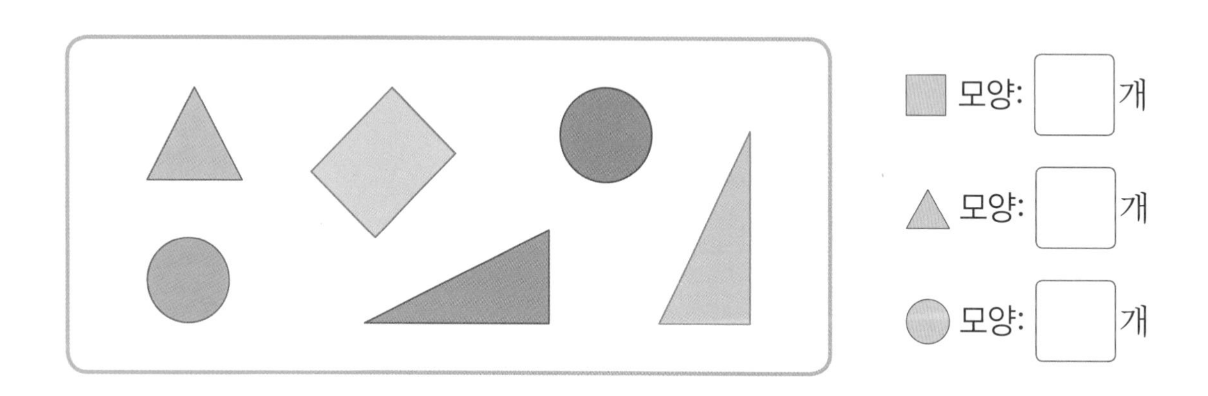

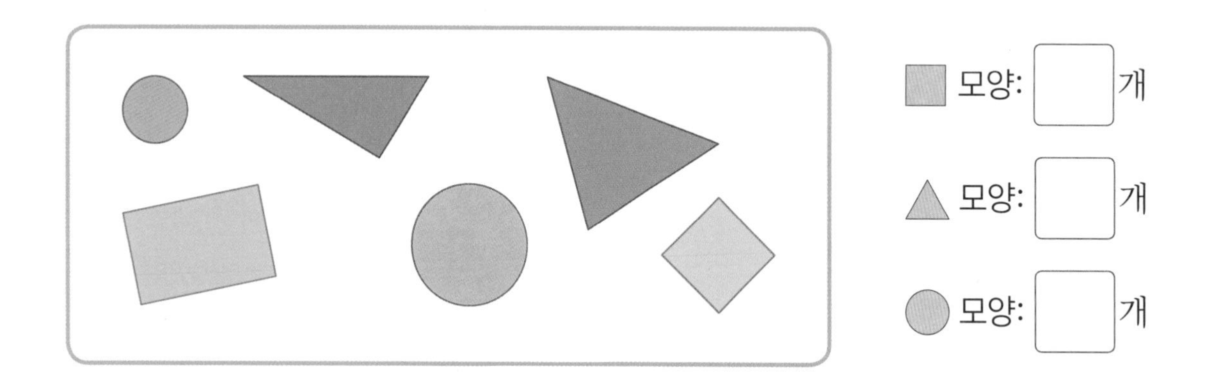

물음에 답하세요.

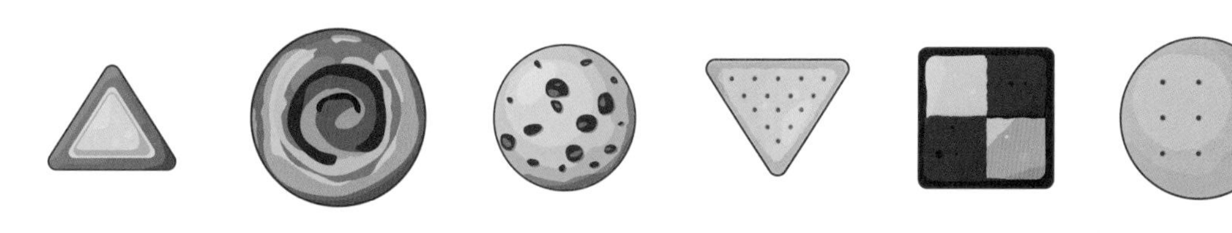

가장 많은 모양에 ◯표 하세요.

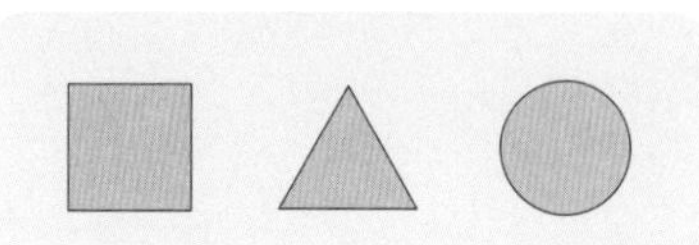

가장 적은 모양에 △표 하세요.

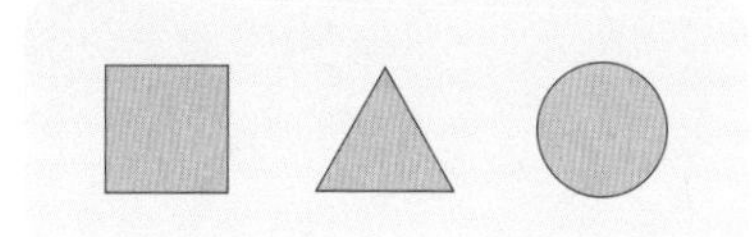

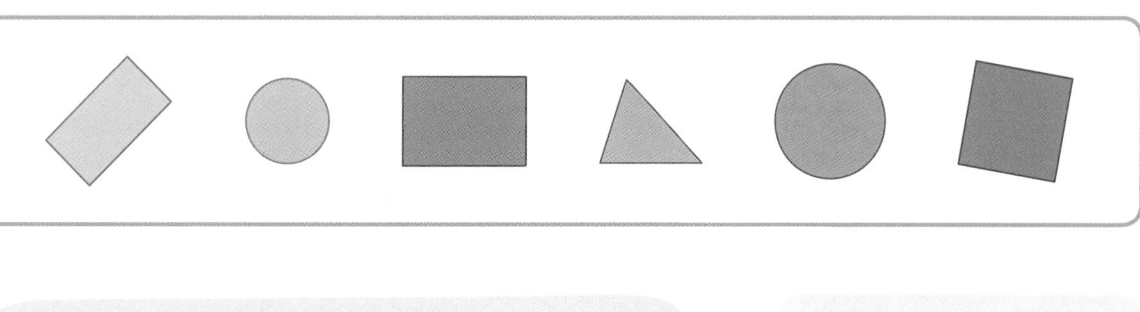

가장 많은 모양에 ◯표 하세요.

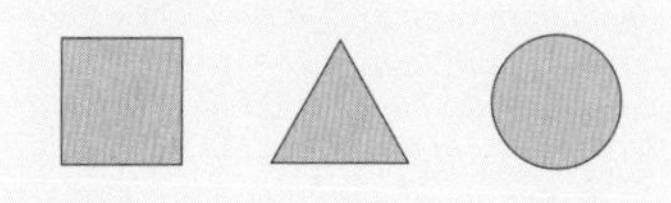

가장 적은 모양에 △표 하세요.

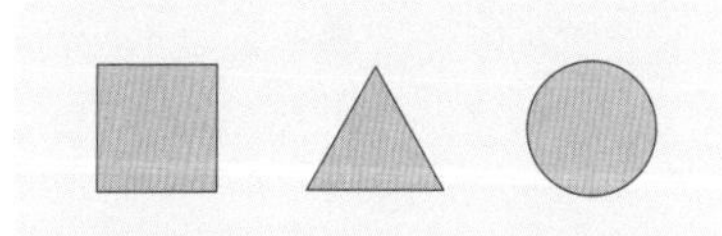

같은 모양을 따라 길을 그려 보세요. 길을 따라가며 모은 ■, ▲, ● 모양의 개수를 각각 세어 보세요.

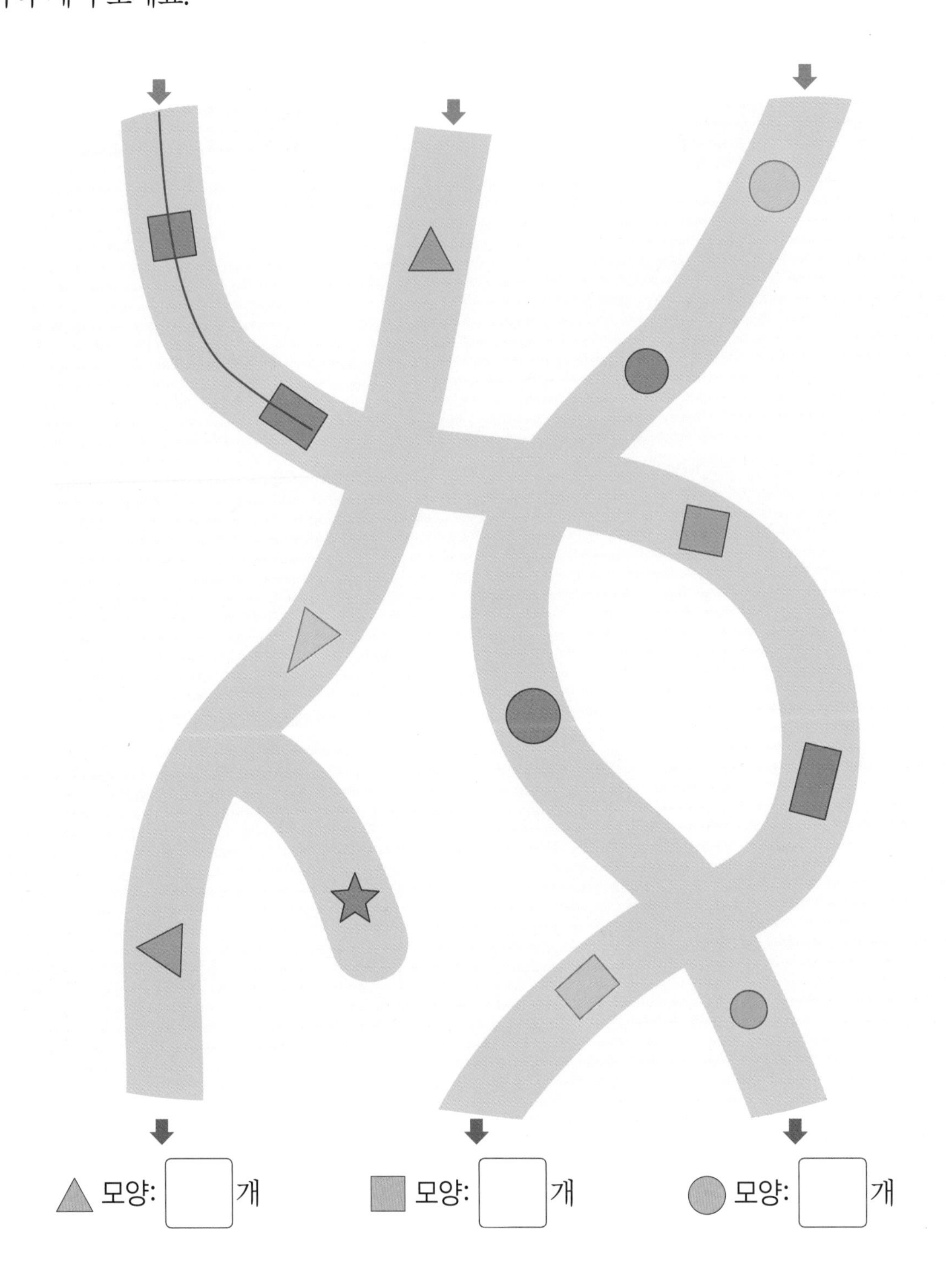

4주차
36~40일

모양 꾸미기

36일 이용한 모양

모양을 꾸미는 데 이용한 모양에 ◯표 하세요.

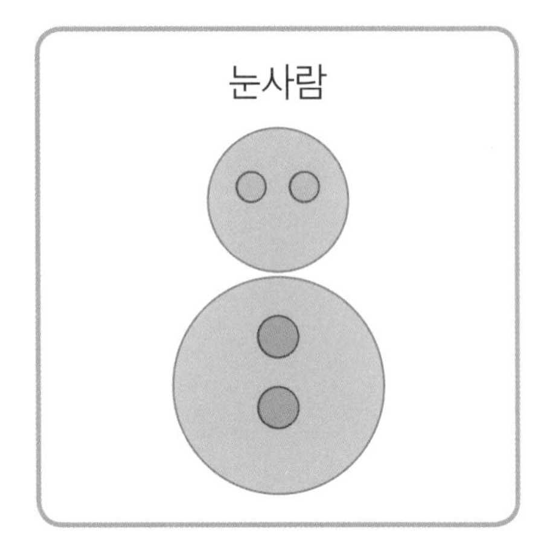

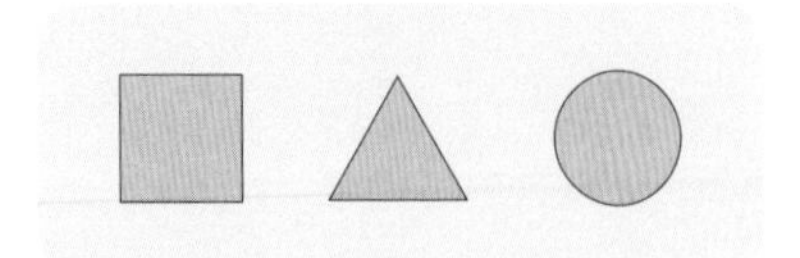

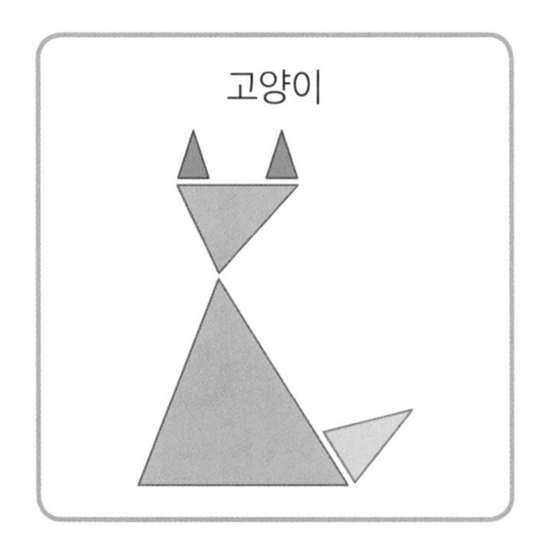

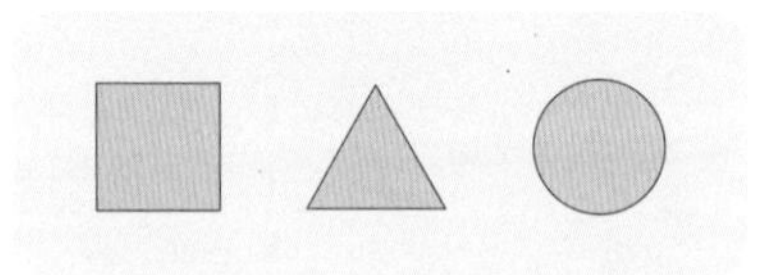

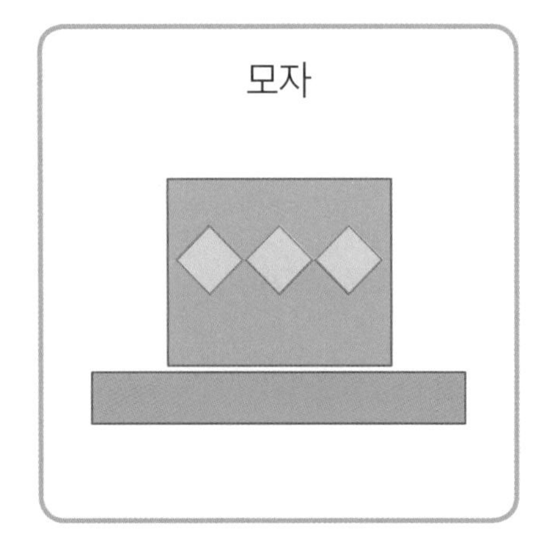

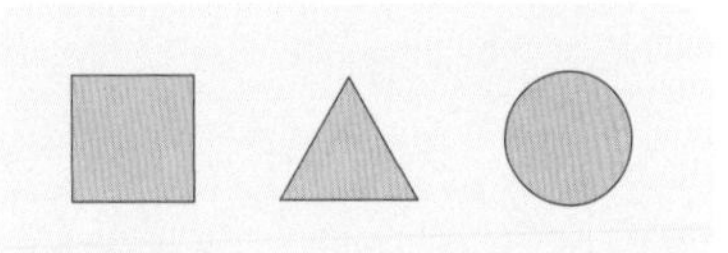

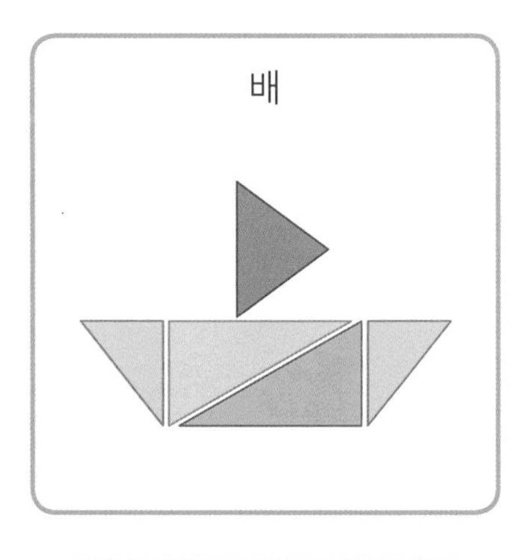

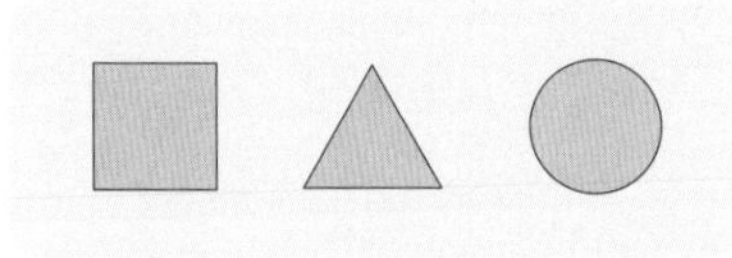

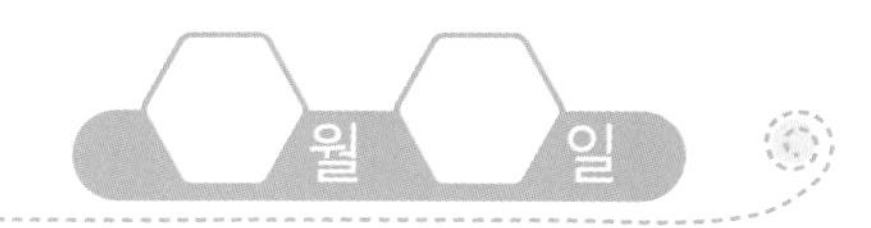

알맞은 말에 ◯표 하세요.

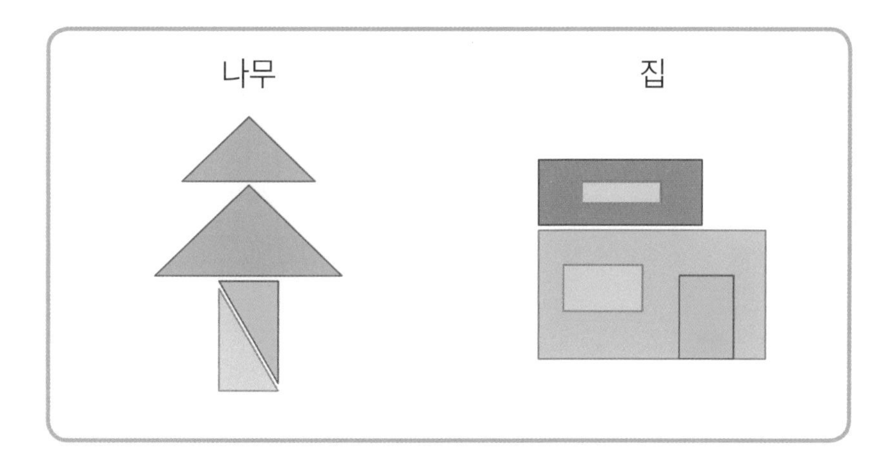

나무는 (■ , ▲ , ●) 모양으로 꾸몄습니다.

집은 (■ , ▲ , ●) 모양으로 꾸몄습니다.

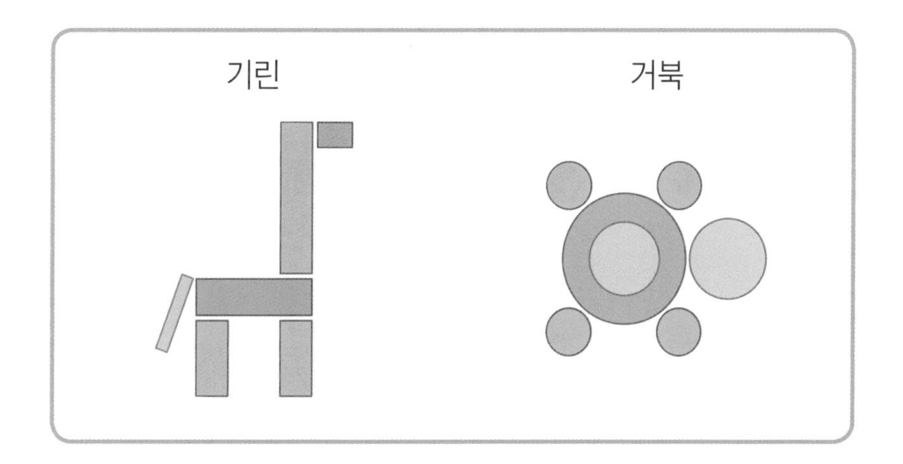

기린은 (■ , ▲ , ●) 모양으로 꾸몄습니다.

거북은 (■ , ▲ , ●) 모양으로 꾸몄습니다.

37일 한 가지 모양

□ 모양으로 꾸몄습니다. □ 모양의 개수를 세어 보세요.

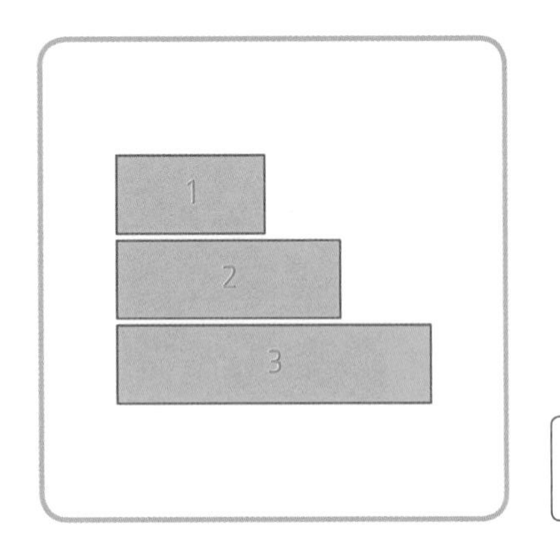

3 개

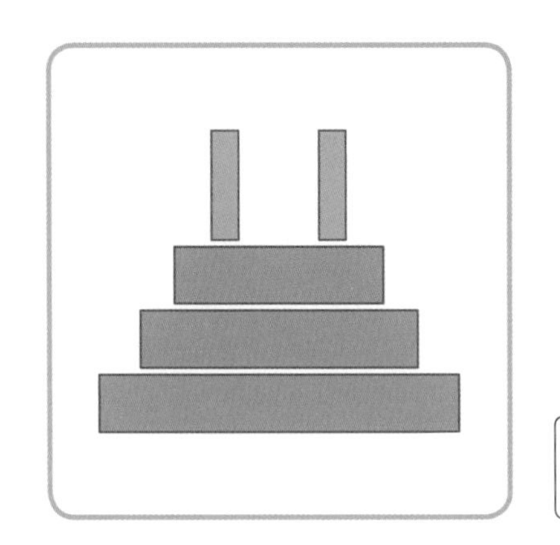

□ 개

□ 개

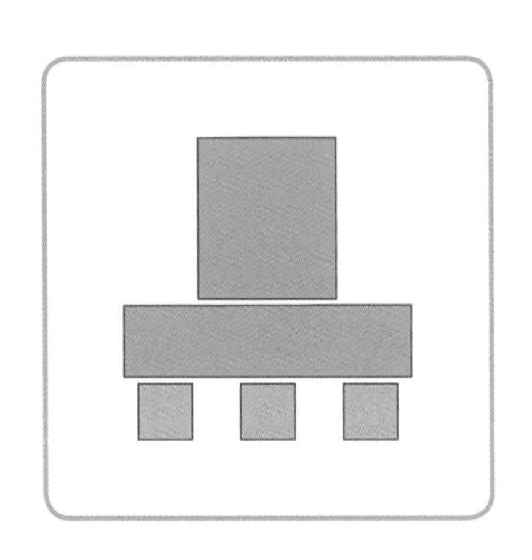

□ 개

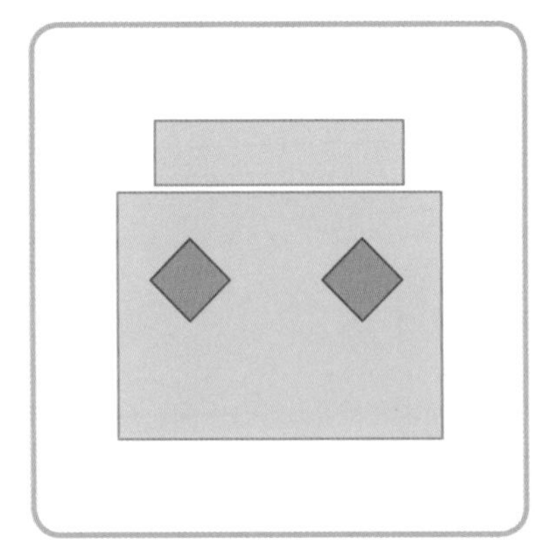

□ 개

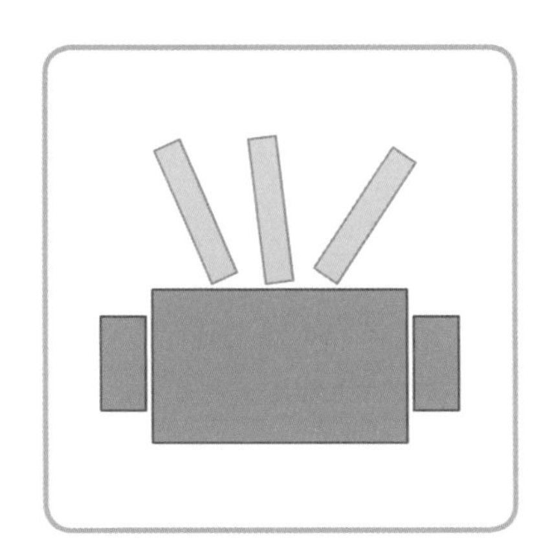

□ 개

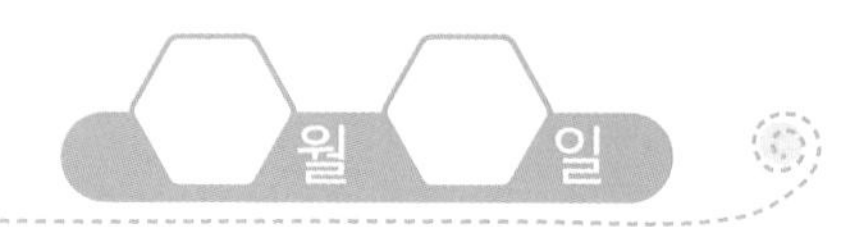

△ 모양으로 꾸몄습니다. △ 모양의 개수를 세어 보세요.

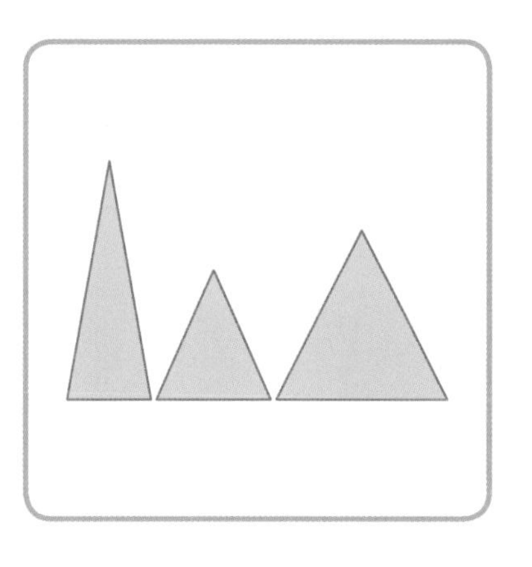

□개

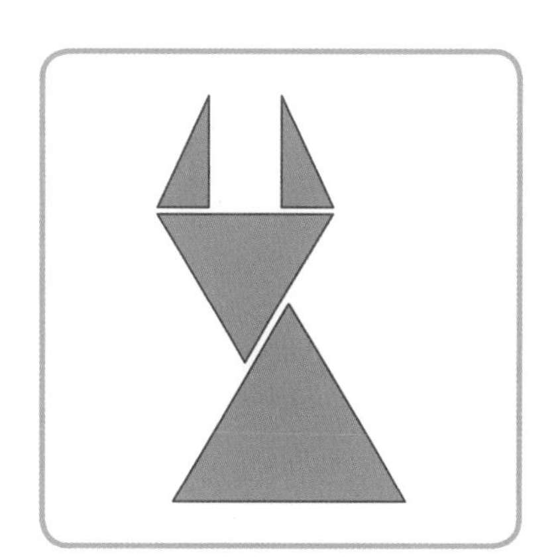

□개

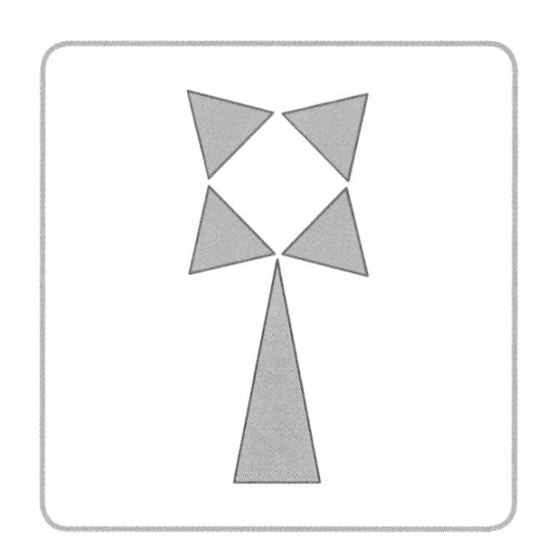

□개

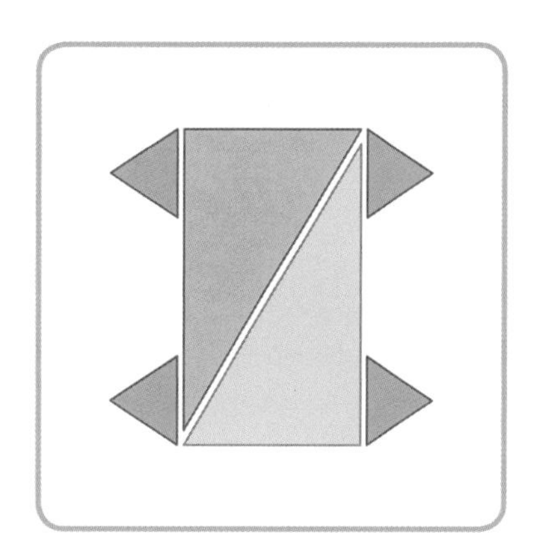

□개

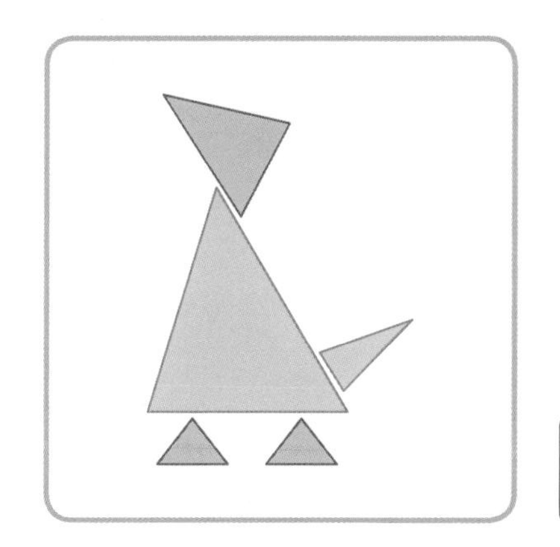

□개

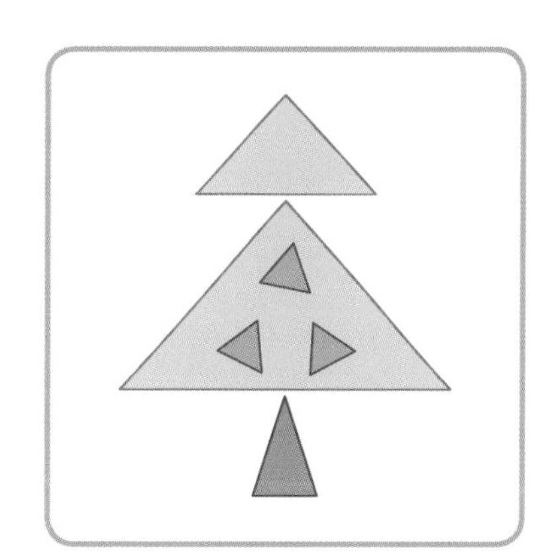

□개

38일 두 가지 모양 (1)

선을 따라 모양을 그리고, 이용한 모양에 모두 ◯표 하세요.

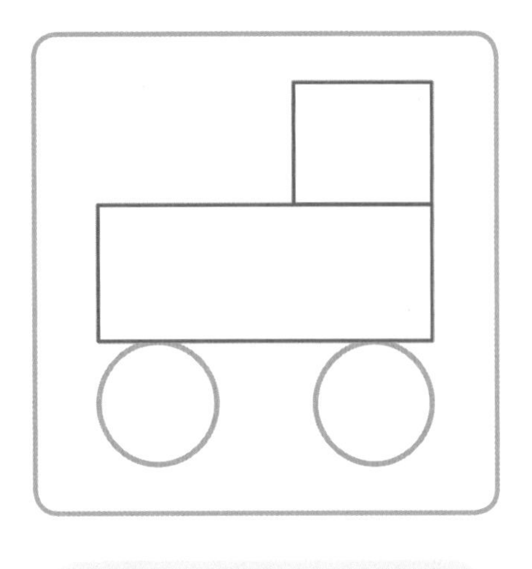

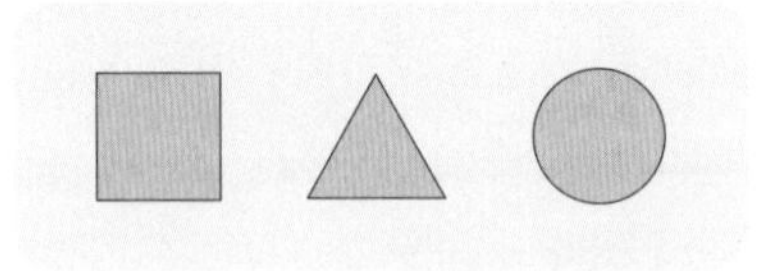

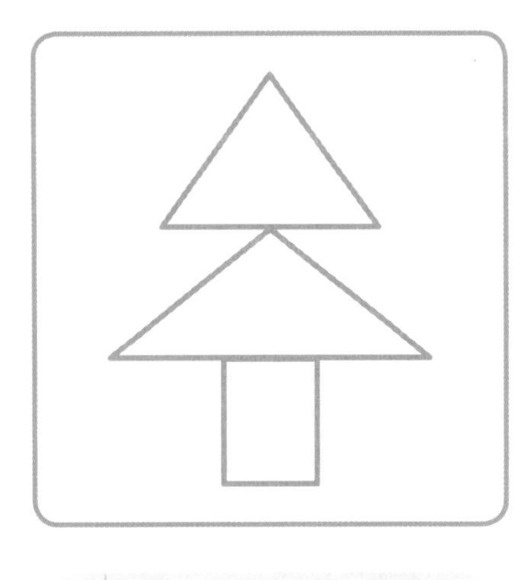

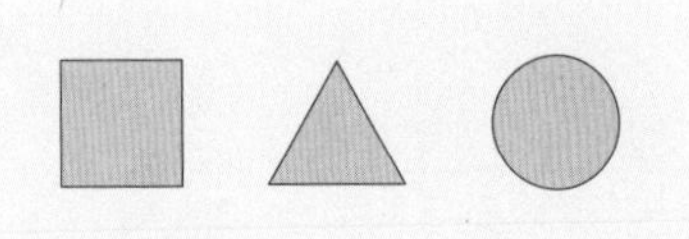

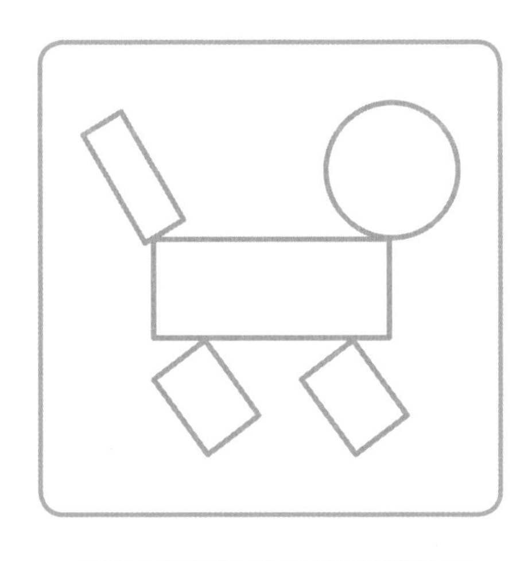

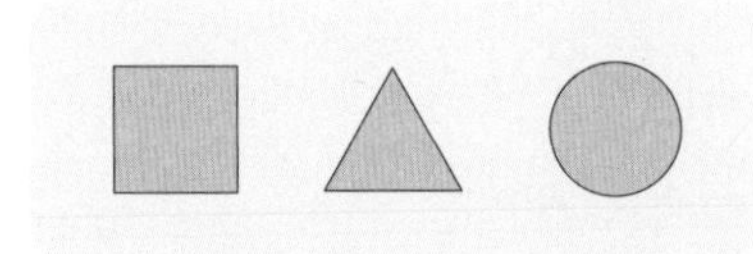

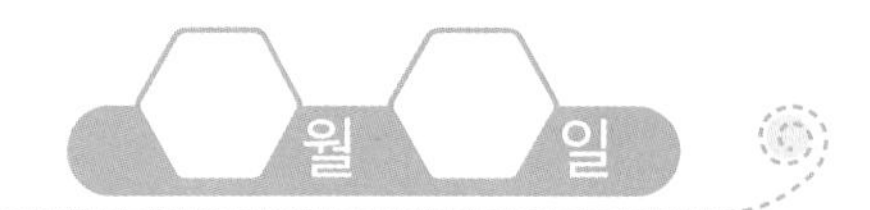

11 두 가지 모양으로 꾸몄습니다. 이용하지 않은 모양에 ×표 하세요.

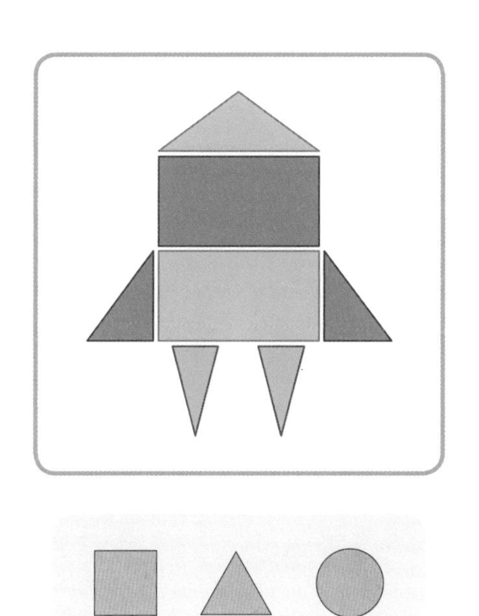

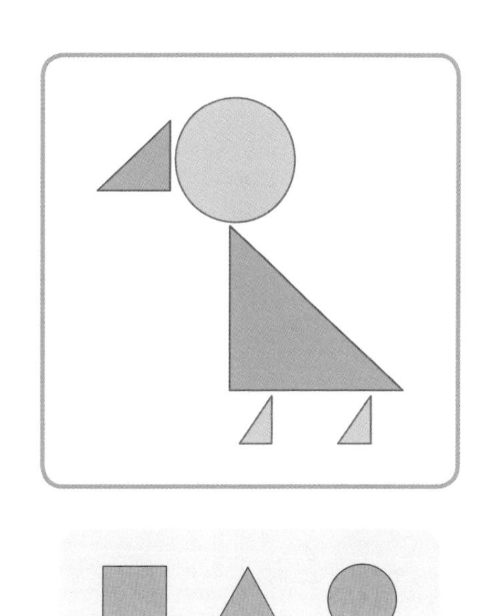

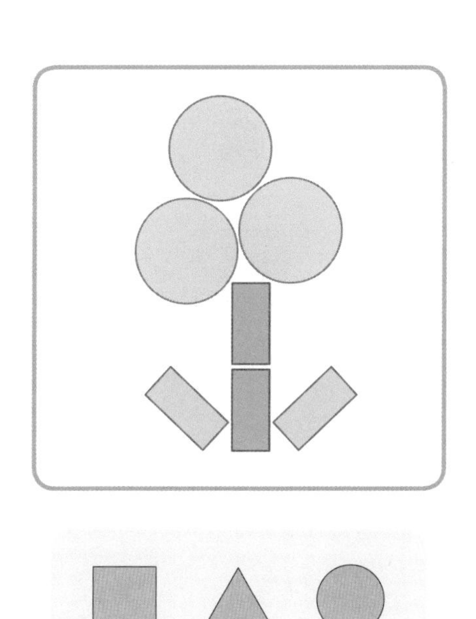

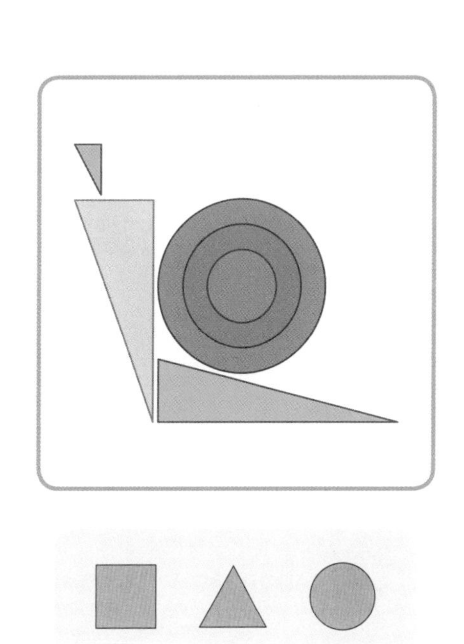

39일 두 가지 모양 (2)

두 가지 모양으로 꾸몄습니다. 모양별로 몇 개씩 이용했는지 세어 보세요.

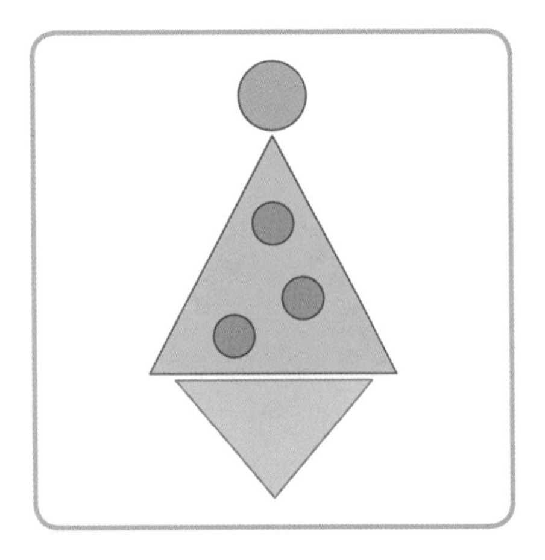

△ 모양: ☐ 개

○ 모양: ☐ 개

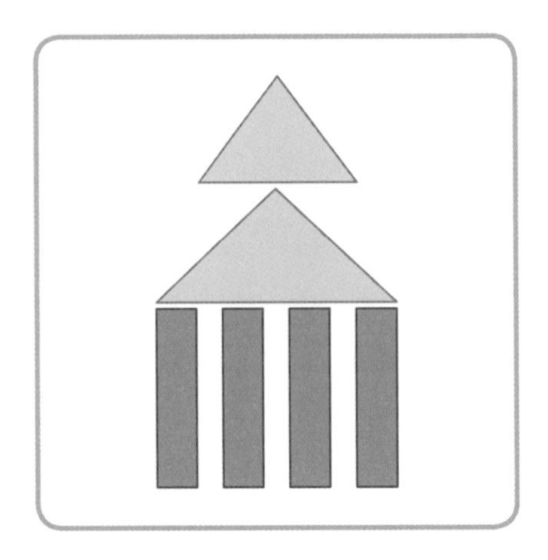

□ 모양: ☐ 개

△ 모양: ☐ 개

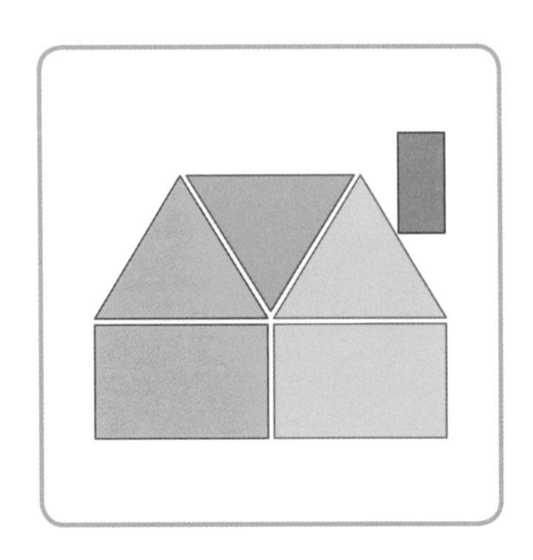

□ 모양: ☐ 개

△ 모양: ☐ 개

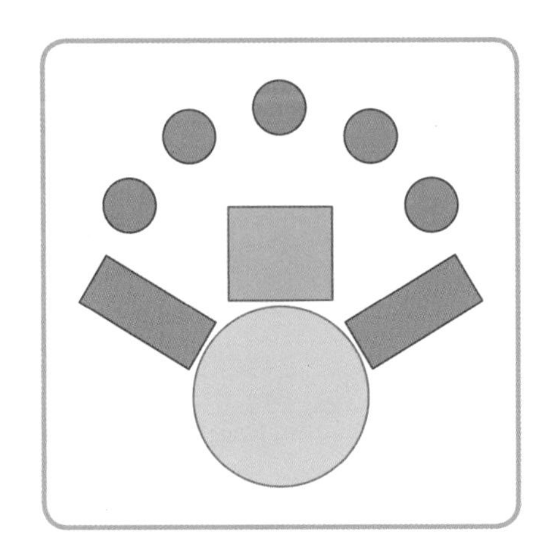

□ 모양: ☐ 개

○ 모양: ☐ 개

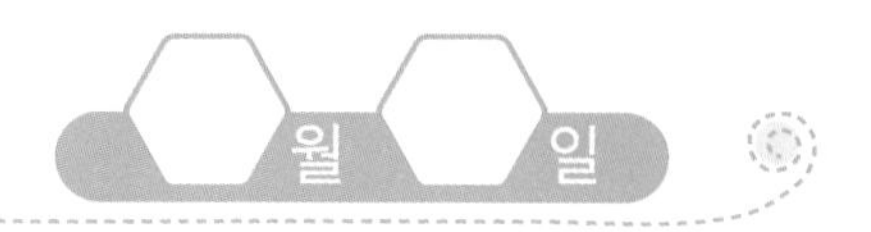

두 가지 모양으로 꾸몄습니다. 모양별로 몇 개씩 이용했는지 세어 보세요.

■ 모양: ☐개

● 모양: ☐개

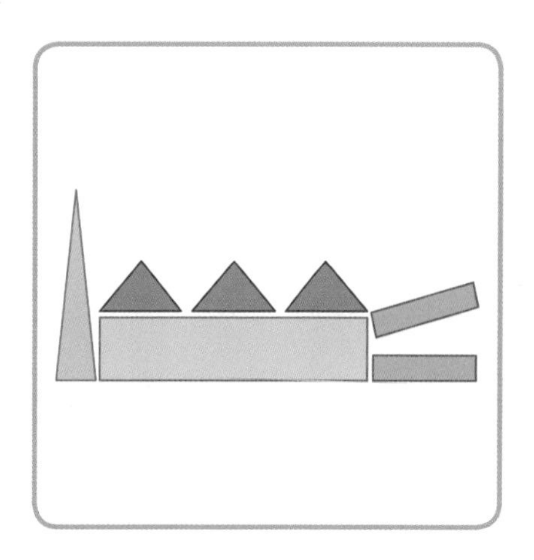

■ 모양: ☐개

▲ 모양: ☐개

▲ 모양: ☐개

● 모양: ☐개

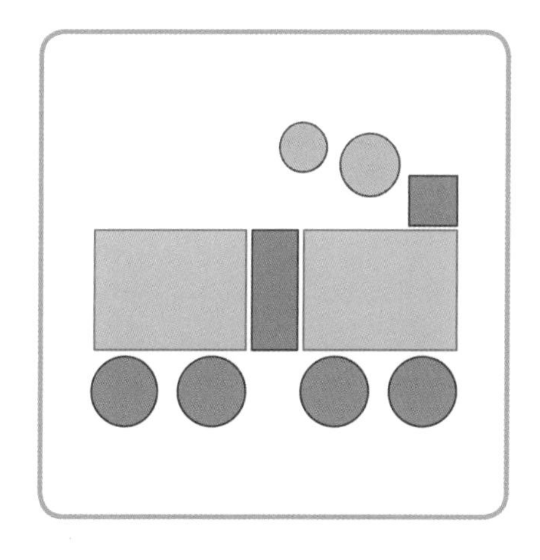

■ 모양: ☐개

● 모양: ☐개

40일 이용한 조각

1 주어진 조각을 모두 이용하여 꾸민 모양에 ◯표 하세요.

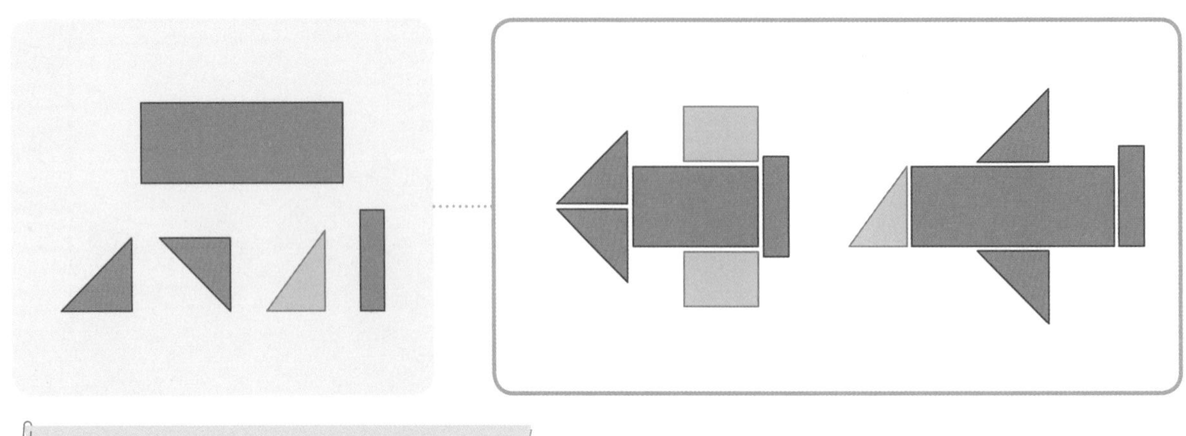

이용한 조각을 하나씩 짝지어 보며 꾸민 모양을 찾습니다.

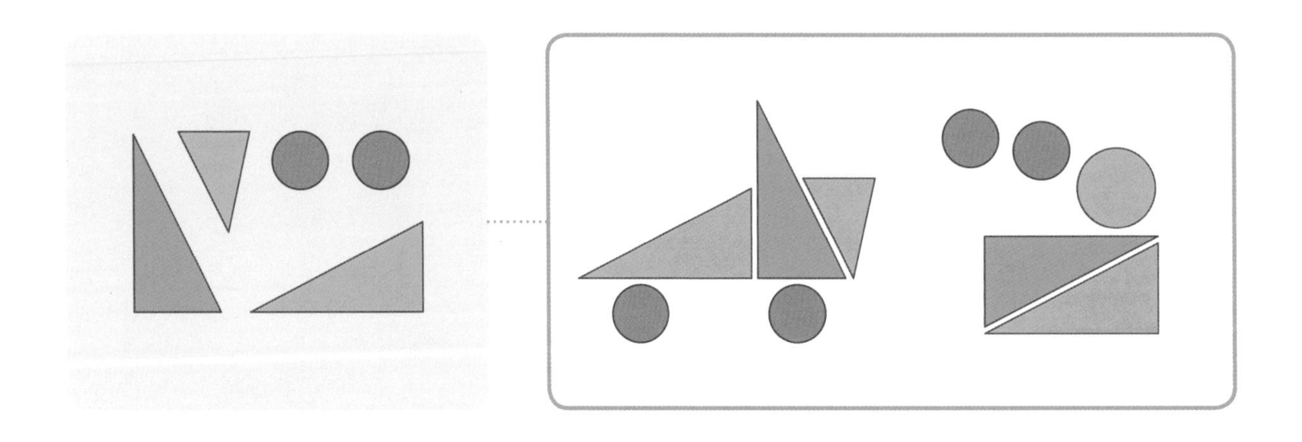

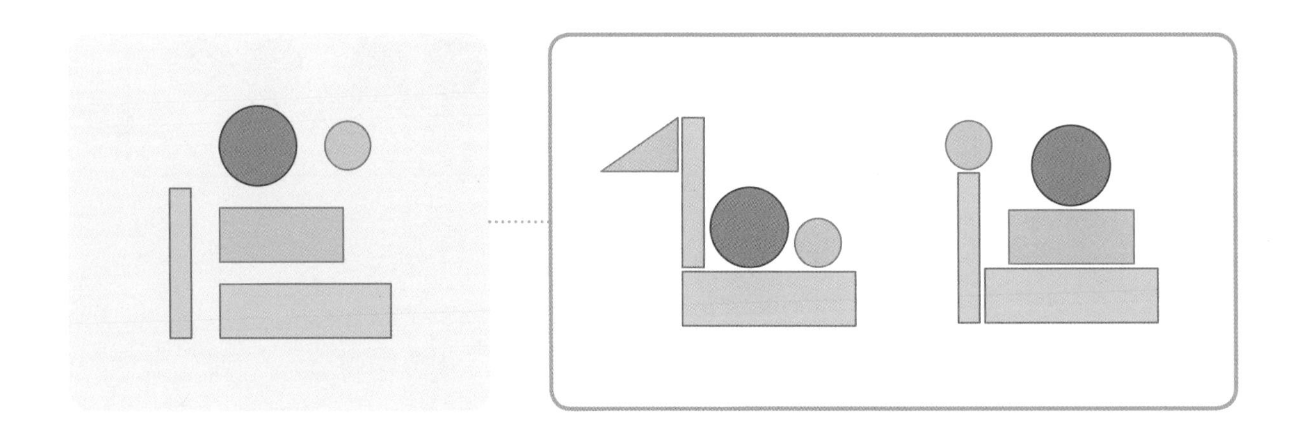

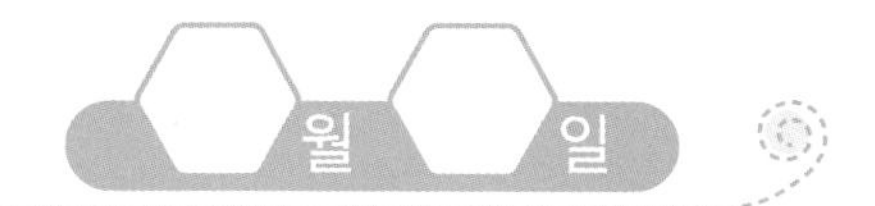

주어진 조각을 모두 이용하여 꾸민 모양을 찾아 이어 보세요.

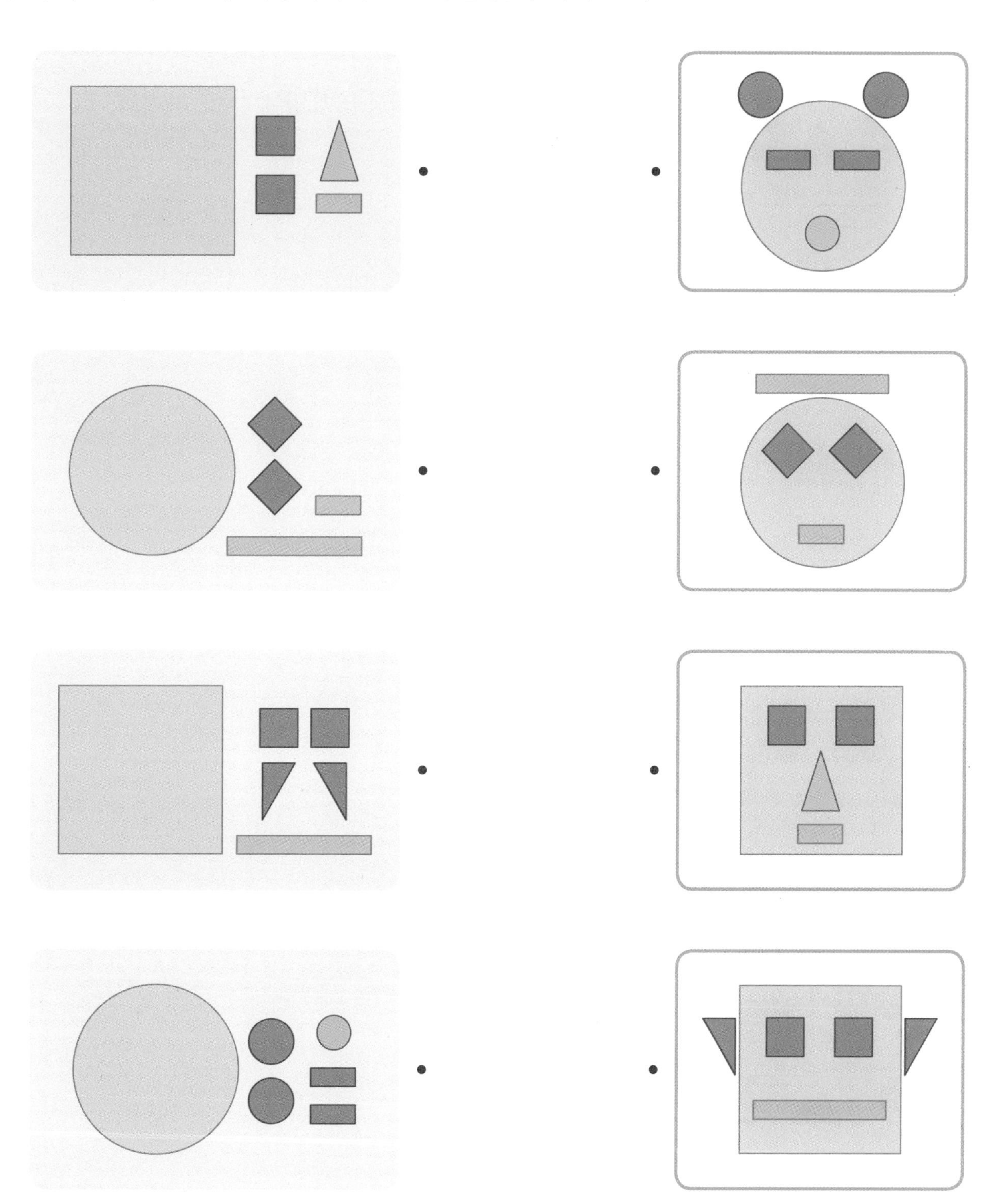

두 가지 모양으로 꾸몄습니다. 물음에 답하세요.

은수와 재희가 꾸민 모양입니다. 두 사람이 모두 이용한 모양에 ○표 하세요.

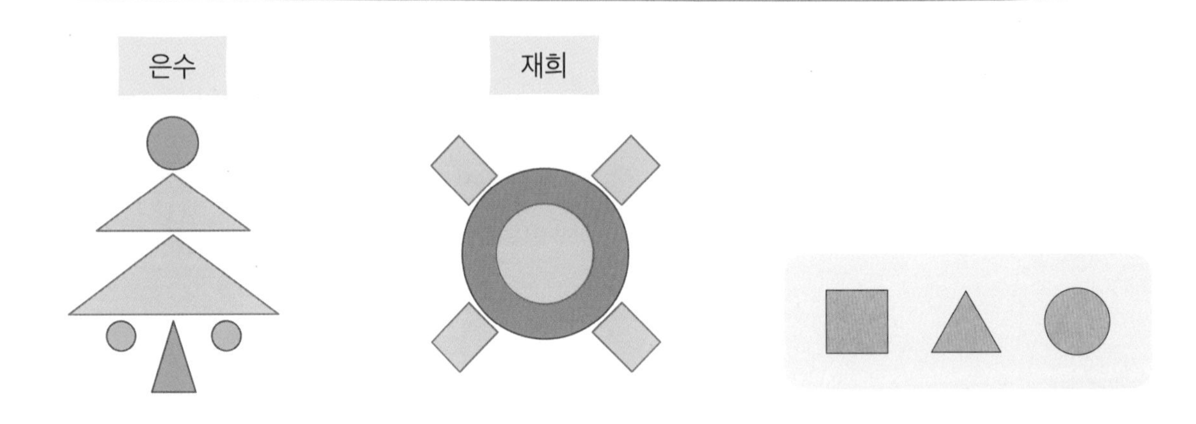

다원이와 준서가 꾸민 모양입니다. 두 사람이 모두 이용한 모양에 ○표 하세요.

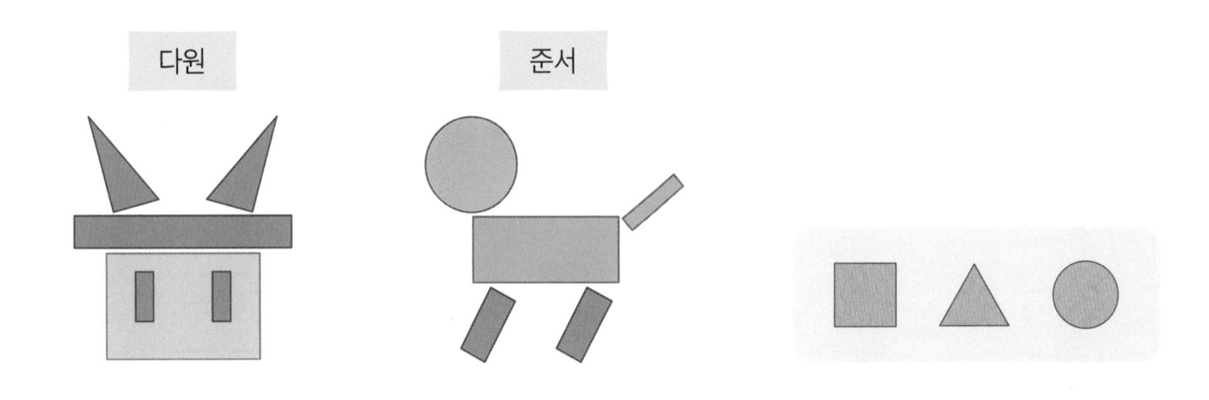

도형 플러스+

- 모양 겹치기 -

PLUS 1 모양 그림자

모양 2개를 겹쳤습니다. 겹친 모양의 그림자를 찾아 이어 보세요.

겹쳐진 모양의 테두리를 살펴봅니다.

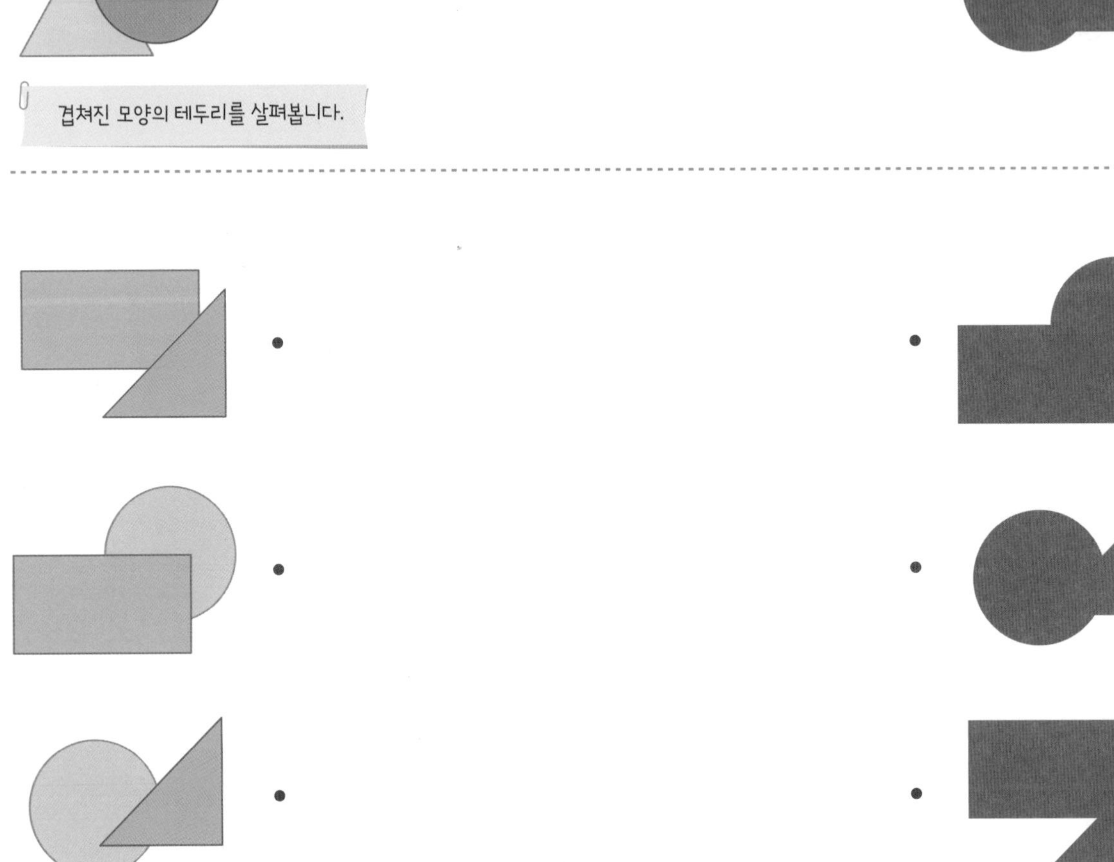

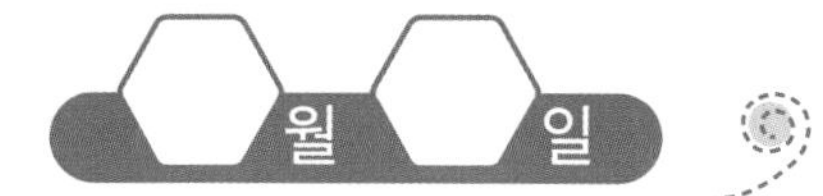

모양 2개를 겹쳤습니다. 알맞은 그림자에 ◯표 하세요.

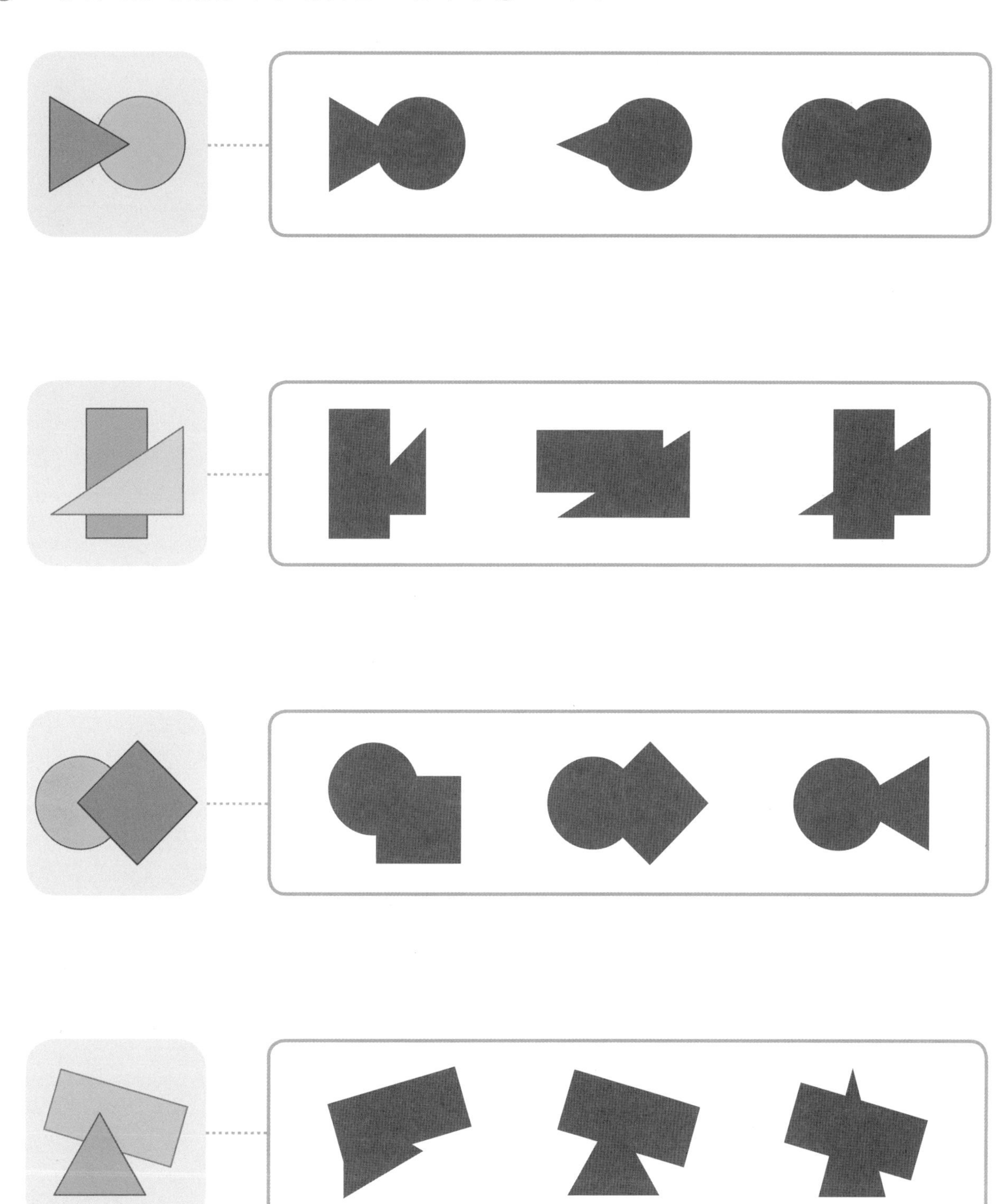

겹친 모양 그리기

두 모양을 겹친 그림자입니다. 그림자 위에 겹친 두 모양을 그려 보세요.

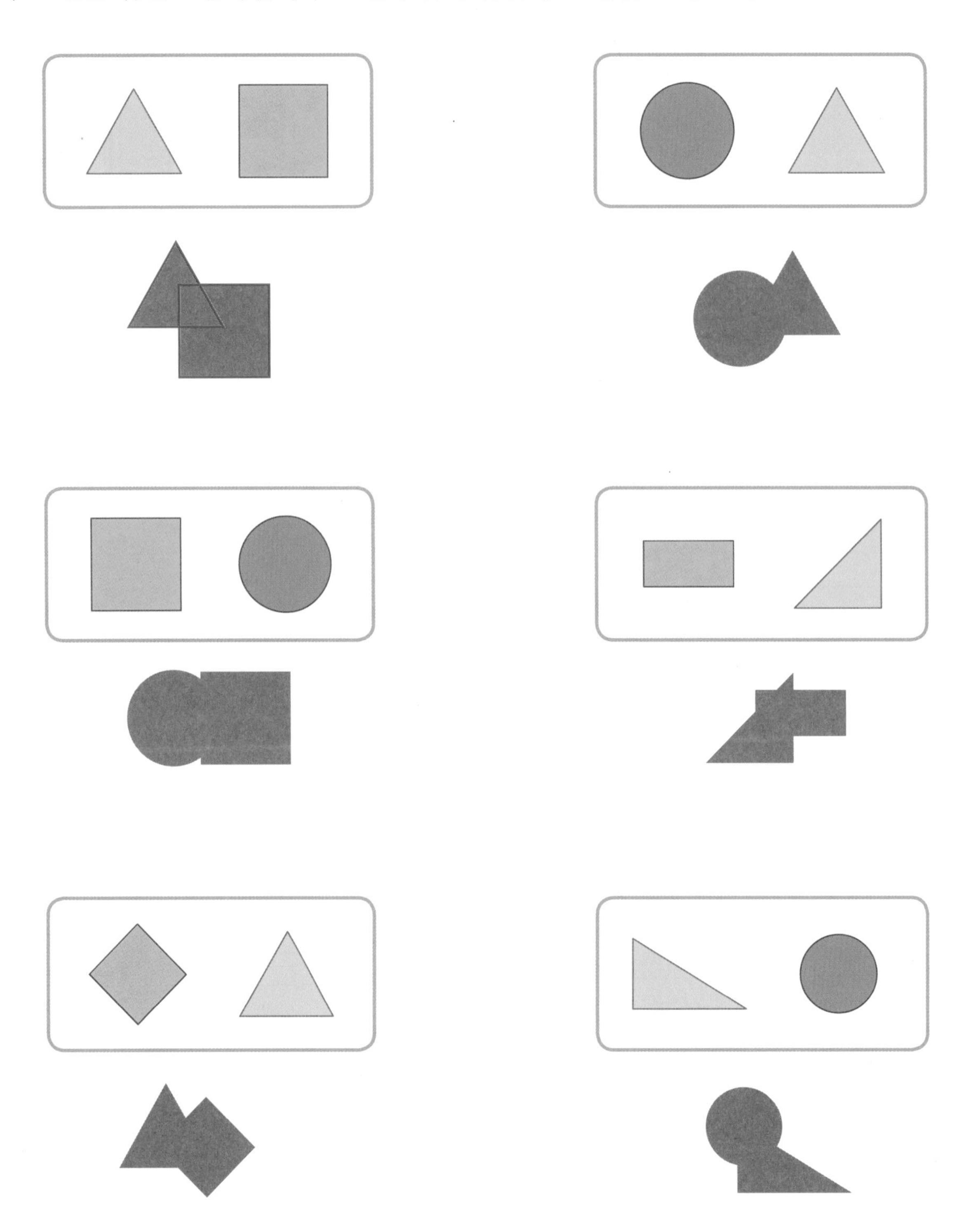

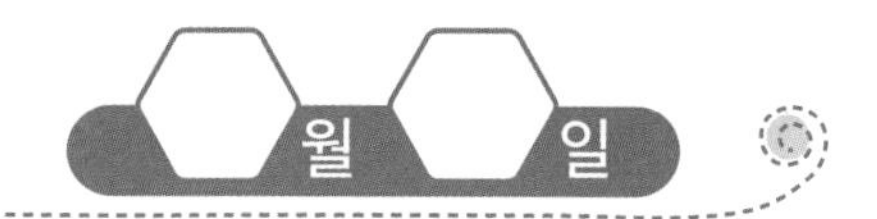

두 모양을 겹친 다음 테두리를 따라 그렸습니다. 겹쳐진 부분을 그려 보세요.

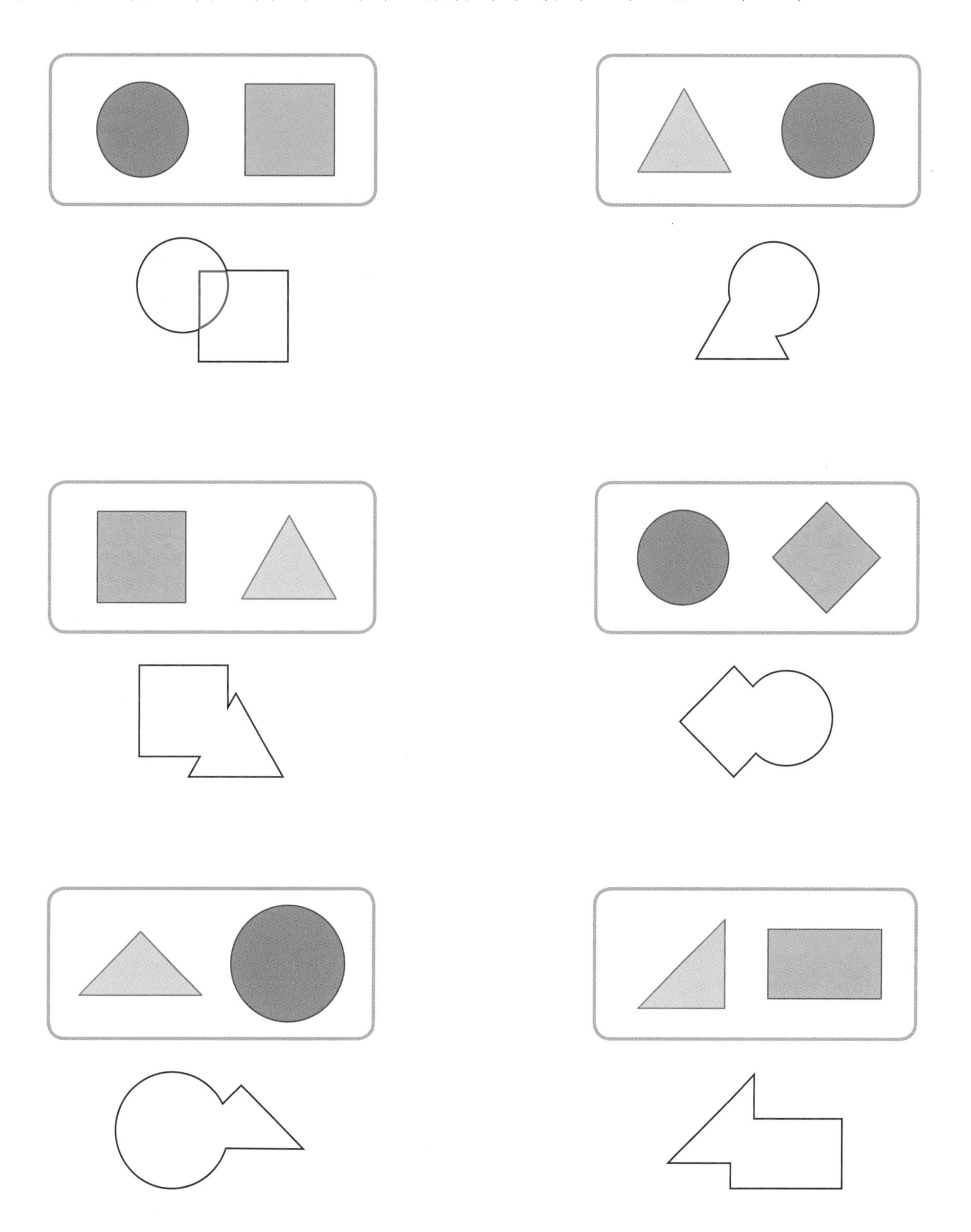

PLUS 3 겹친 모양 찾기

주어진 조각 중 2개를 겹친 그림자입니다. 겹친 모양 2개에 각각 ○표 하세요.

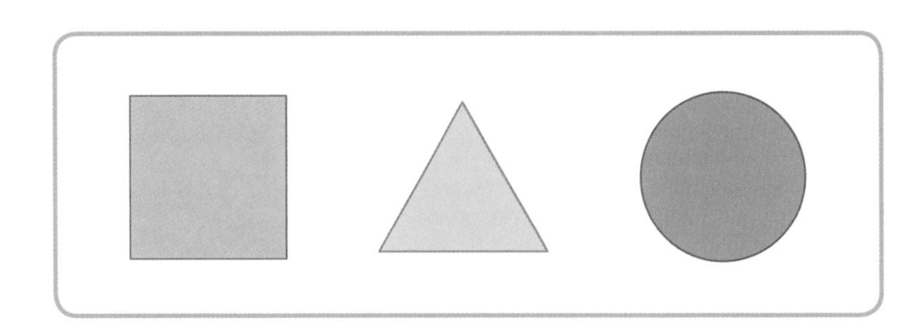

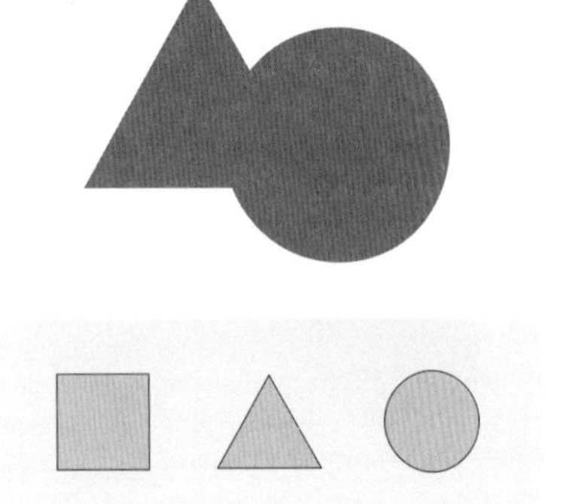

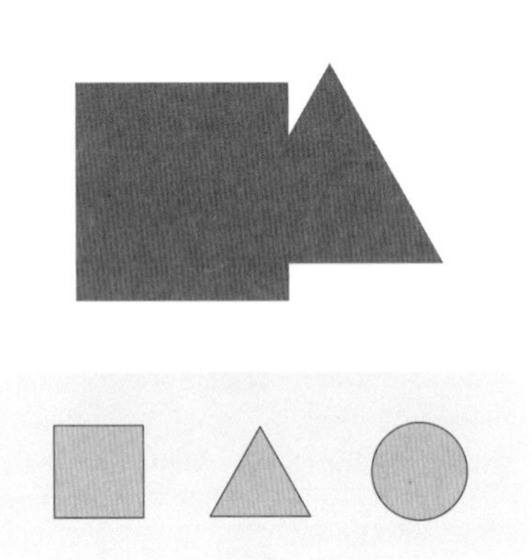

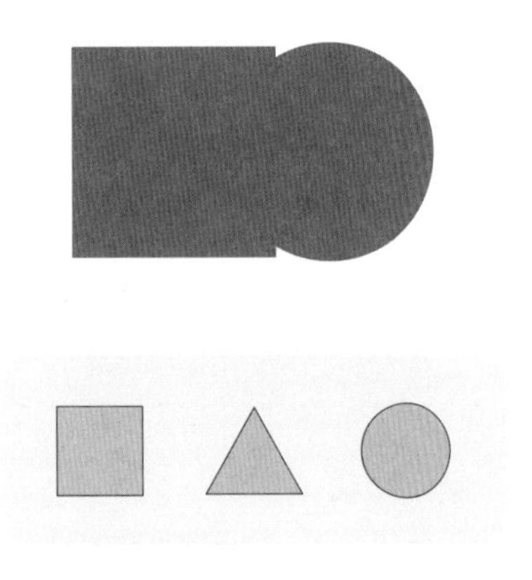

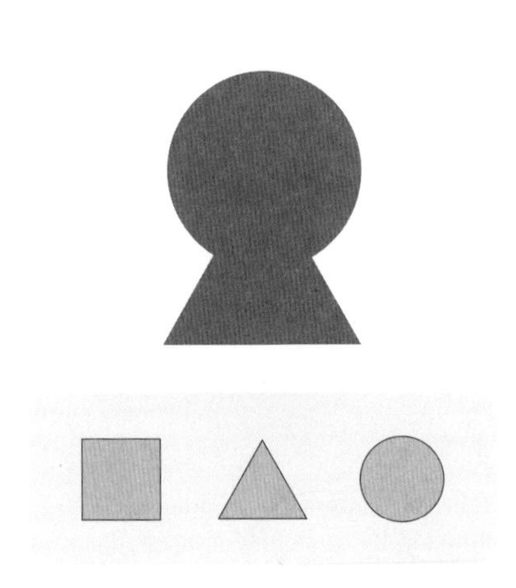

주어진 조각 중 2개를 겹친 그림자입니다. 겹친 모양 2개에 각각 ◯표 하세요.

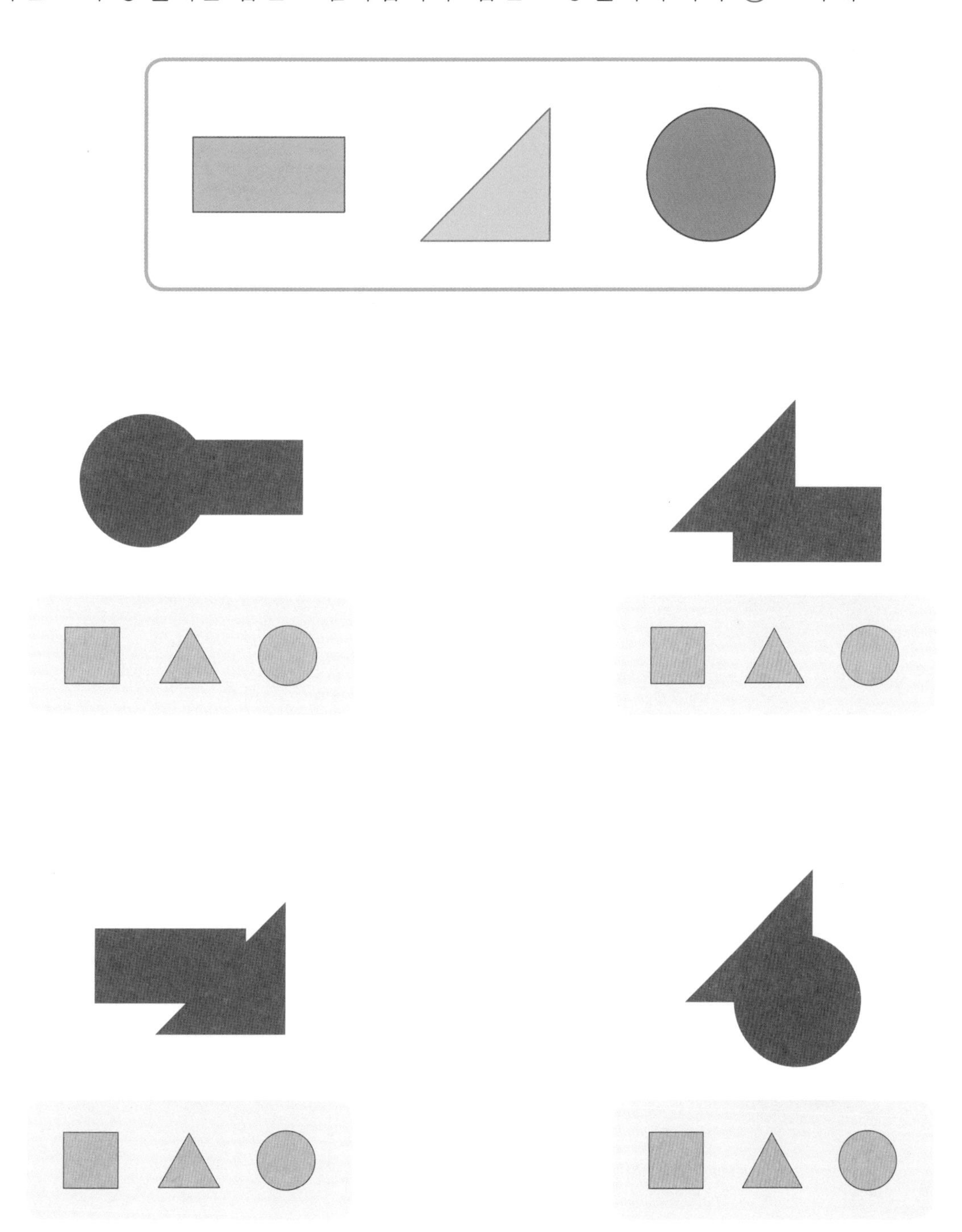

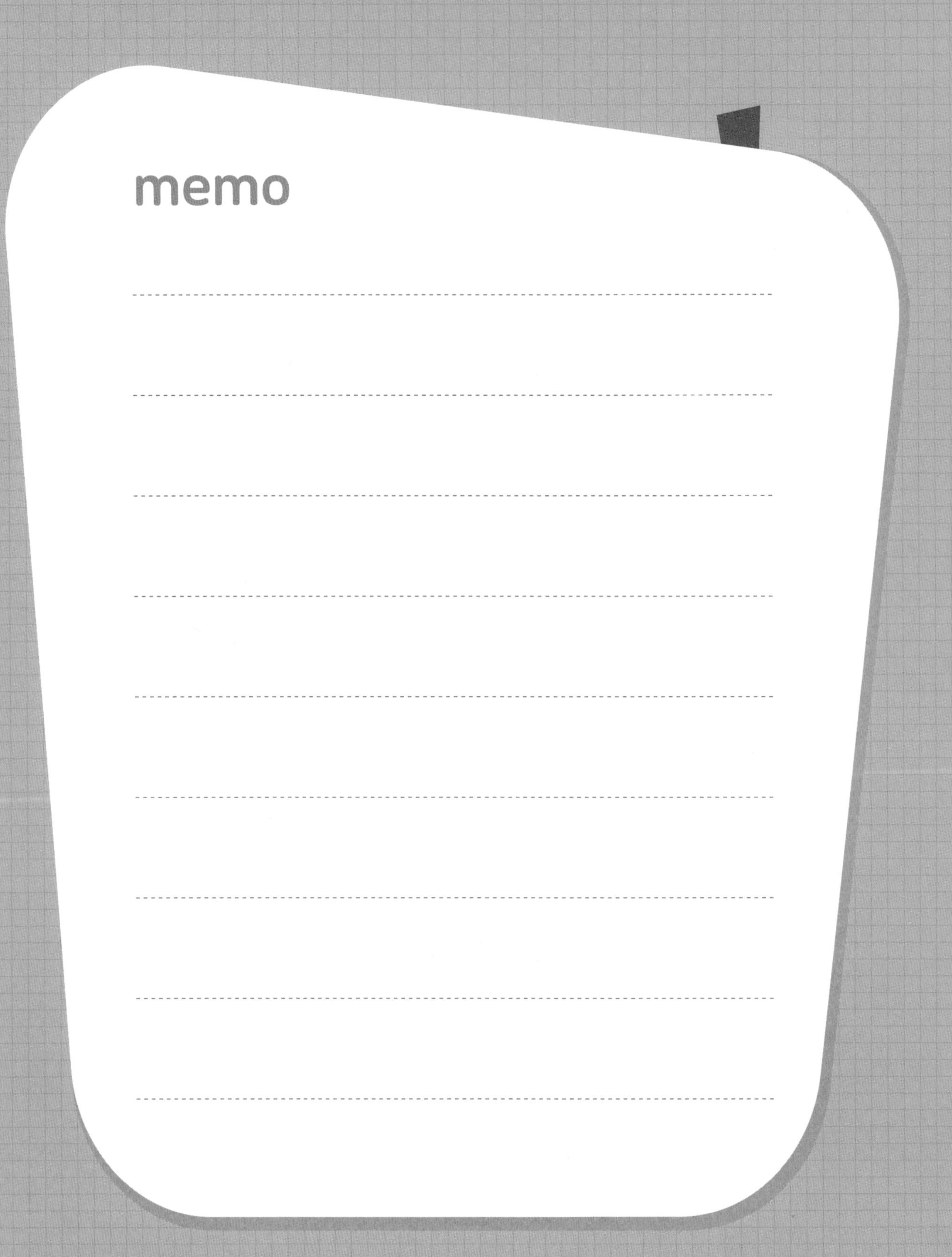
memo

형성평가

형성평가 1회

1 ▢ 모양과 같은 모양에 ◯표 하세요.

100

(　　　)　　(　　　)　　(　　　)

2 빈칸에 알맞은 번호를 써 보세요.

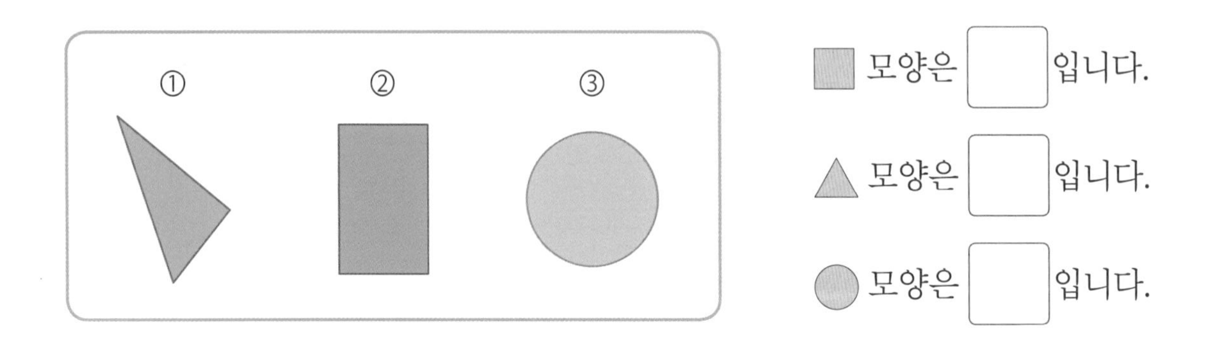

①
②
③
모양은 입니다.
모양은 입니다.
모양은 입니다.

3 같은 모양끼리 모았습니다. 어떤 모양끼리 모았는지 ◯표 하세요.

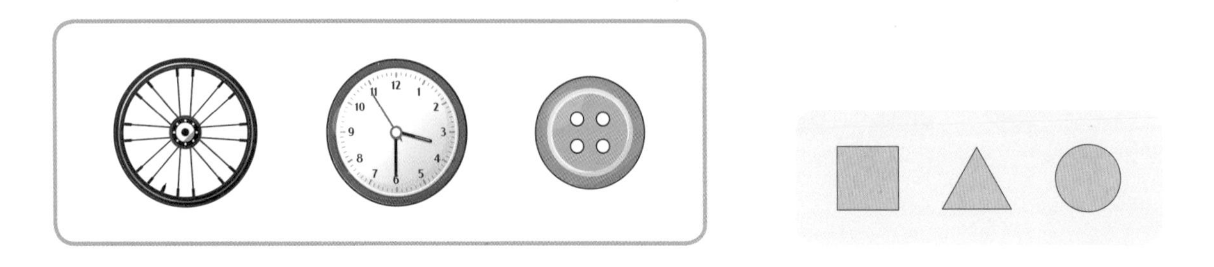

4 왼쪽 모양을 똑같이 그리고, 알맞은 모양에 ○표 하세요.

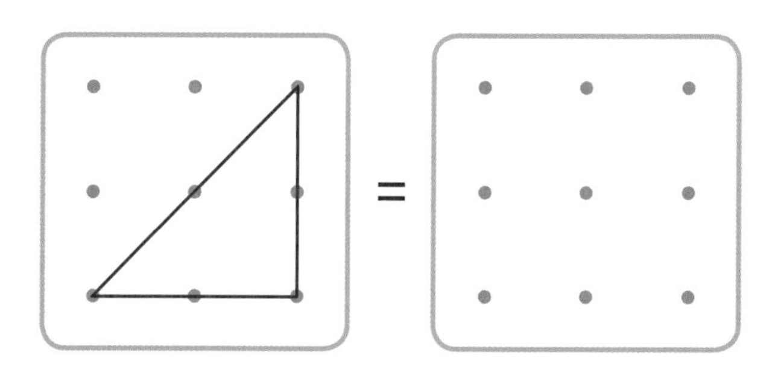

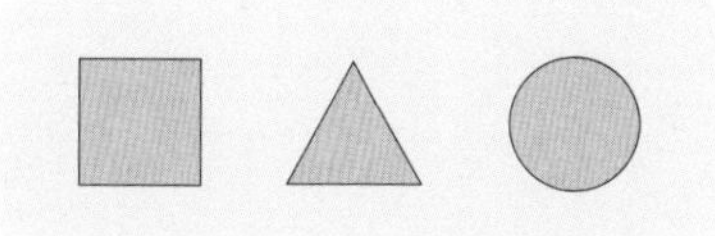

5 나머지와 다른 모양 하나를 찾아 ╳표 하세요.

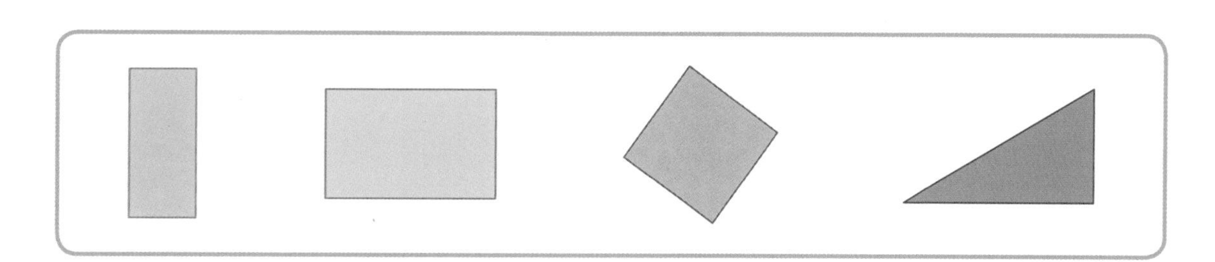

6 모양을 꾸미는 데 이용한 ■, ▲ 모양은 각각 몇 개일까요?

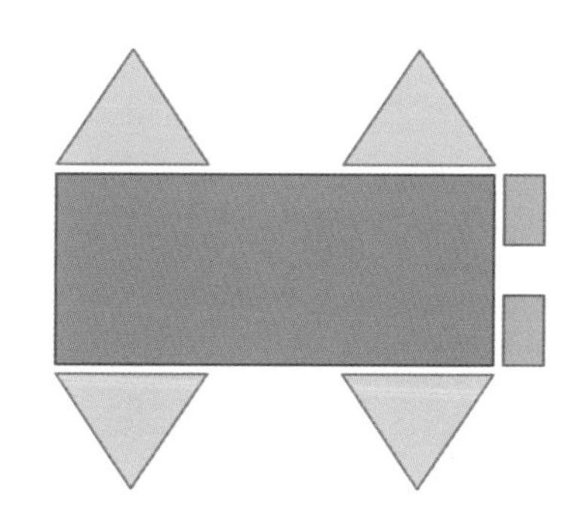

■ 모양: (   )개

▲ 모양: (   )개

형성평가 2회

1 △ 모양에 모두 ○표 하세요.

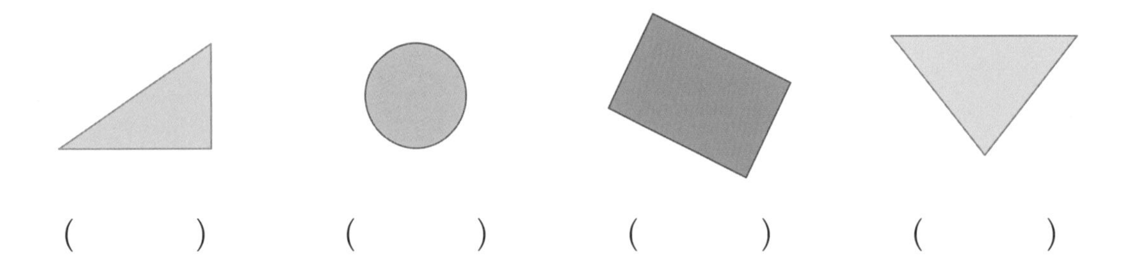

( ) ( ) ( ) ( )

2 같은 모양 2개에 각각 ○표 하세요.

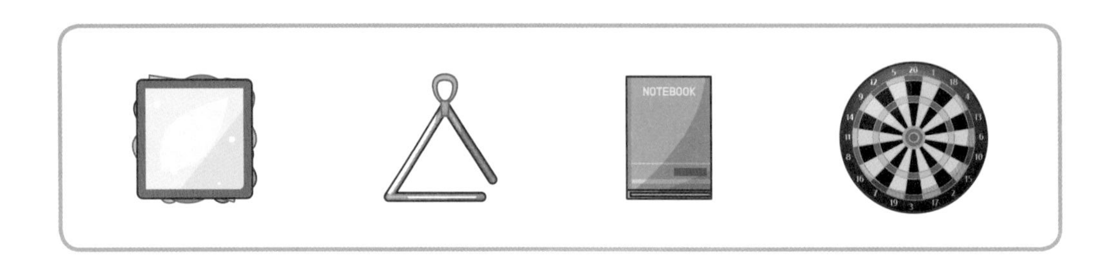

3 접시의 테두리를 따라 그렸을 때 나오는 모양에 ○표 하세요.

4 모양은 모두 몇 개일까요?

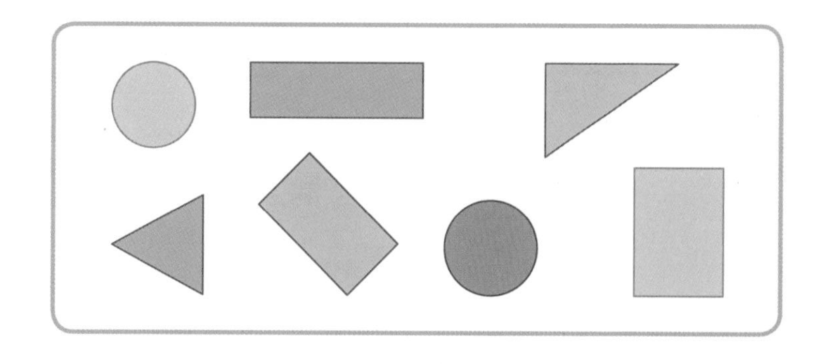

( )개

5 모양으로 꾸몄습니다. 모양은 모두 몇 개 이용했을까요?

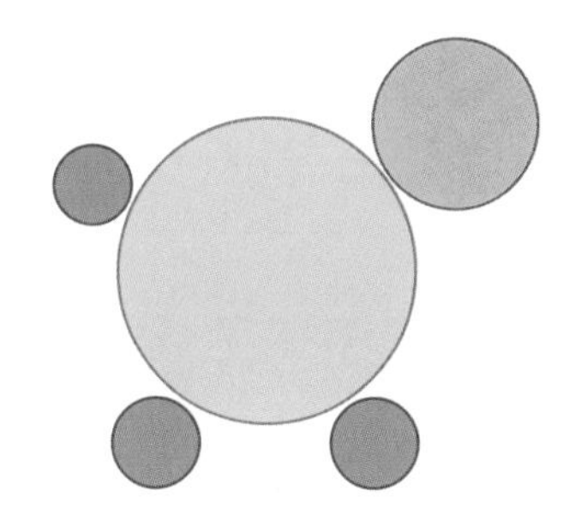

( )개

6 모양을 꾸미는 데 이용한 모양에 모두 ○표 하세요.

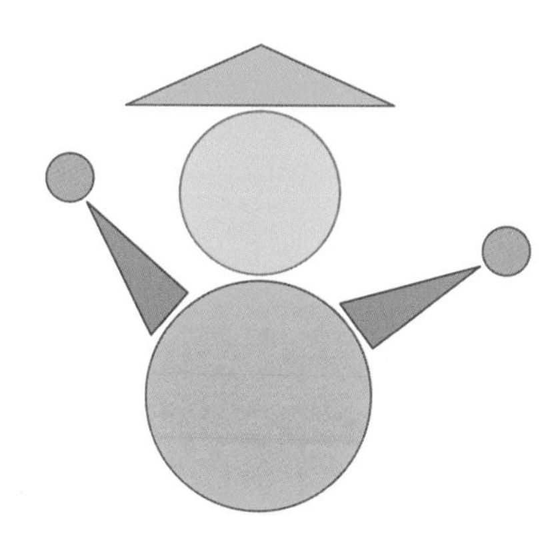

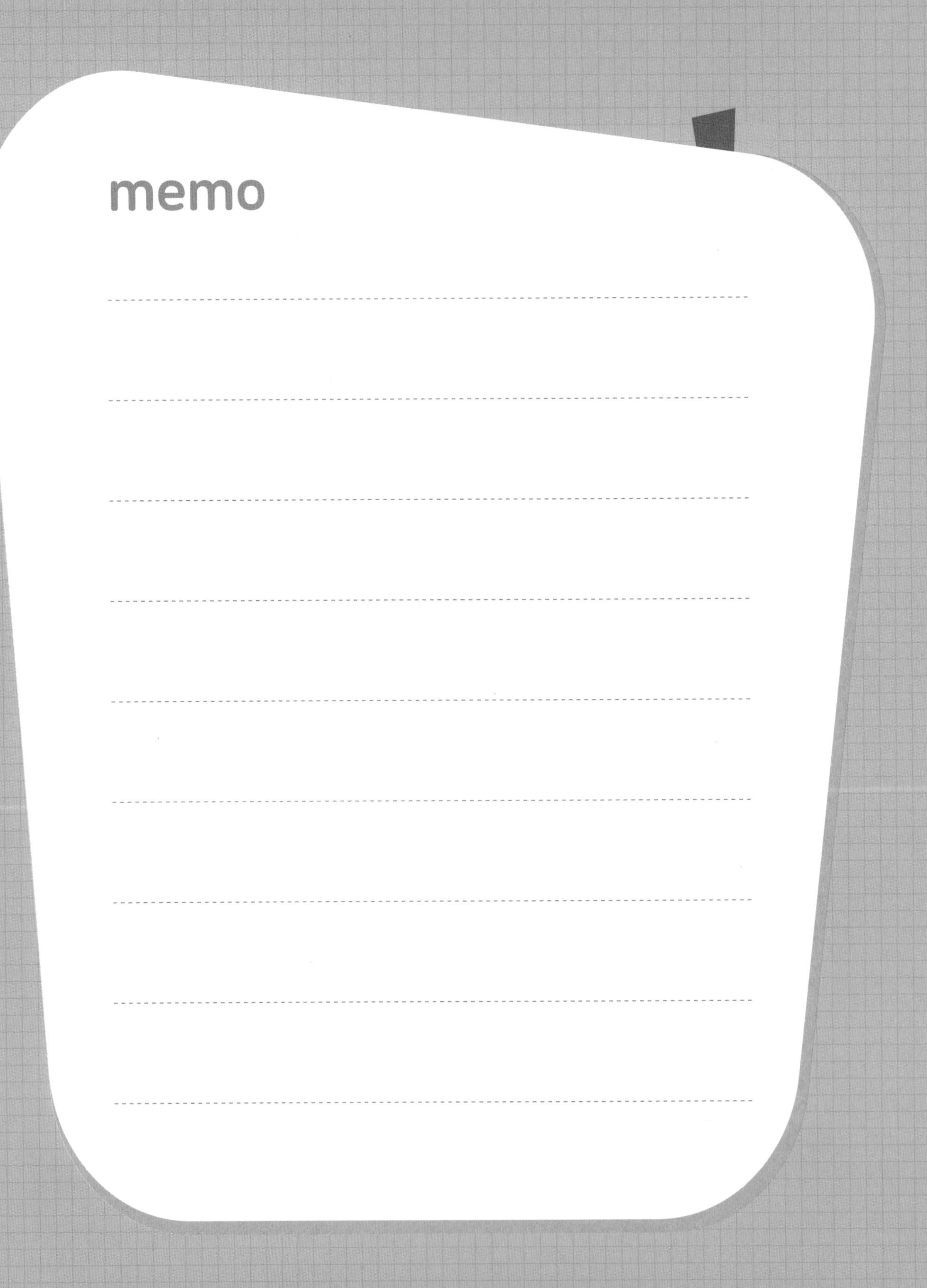
memo

하루 한 장 60일 집중 완성

교과도형

7세~초1

P2

평면 모양 알기

정 답

P2
평면 모양 알기

정답

1주차 ■, ▲, ● 모양

8쪽·9쪽

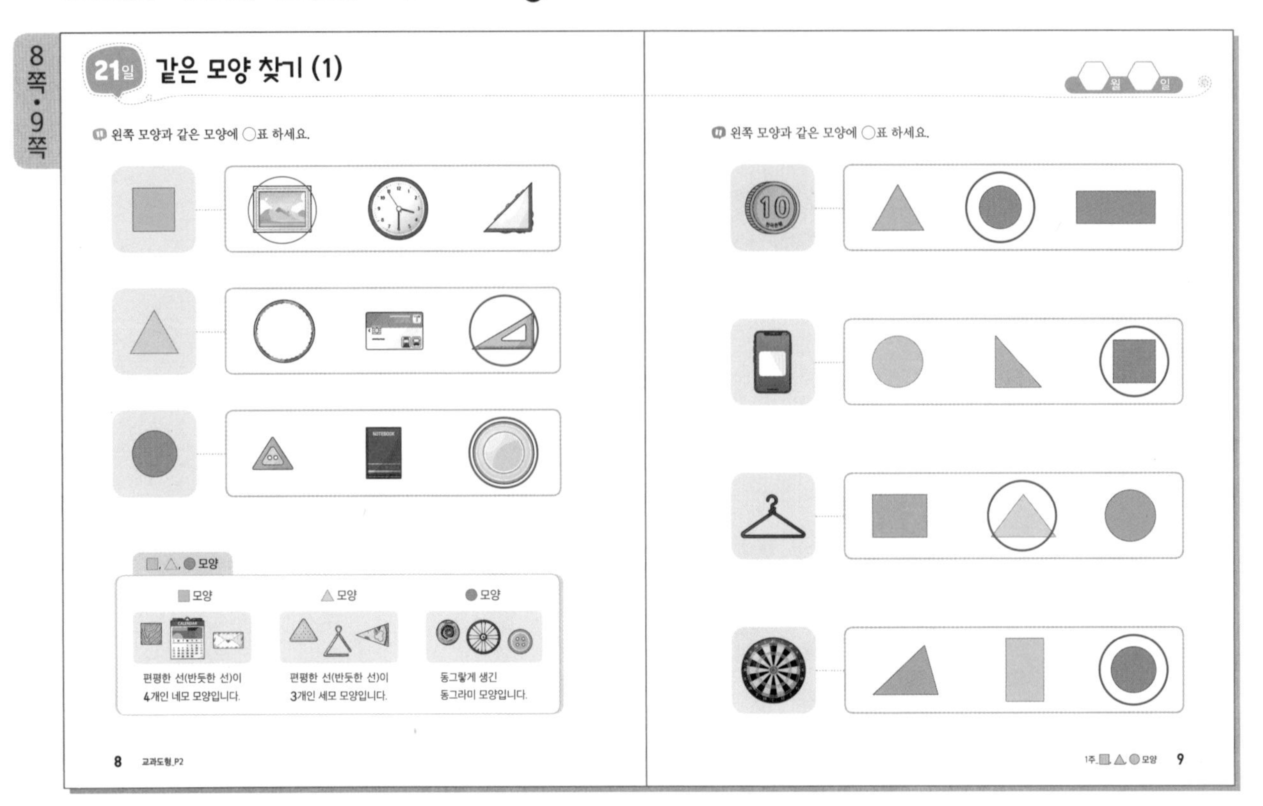

21일 같은 모양 찾기 (1)
월 일
왼쪽 모양과 같은 모양에 ○표 하세요.
■, ▲, ● 모양
■ 모양
▲ 모양
● 모양
편평한 선(반듯한 선)이 4개인 네모 모양입니다.
편평한 선(반듯한 선)이 3개인 세모 모양입니다.
동그랗게 생긴 동그라미 모양입니다.
8 교과도형_P2
1주. ■, ▲, ● 모양 9

10쪽·11쪽

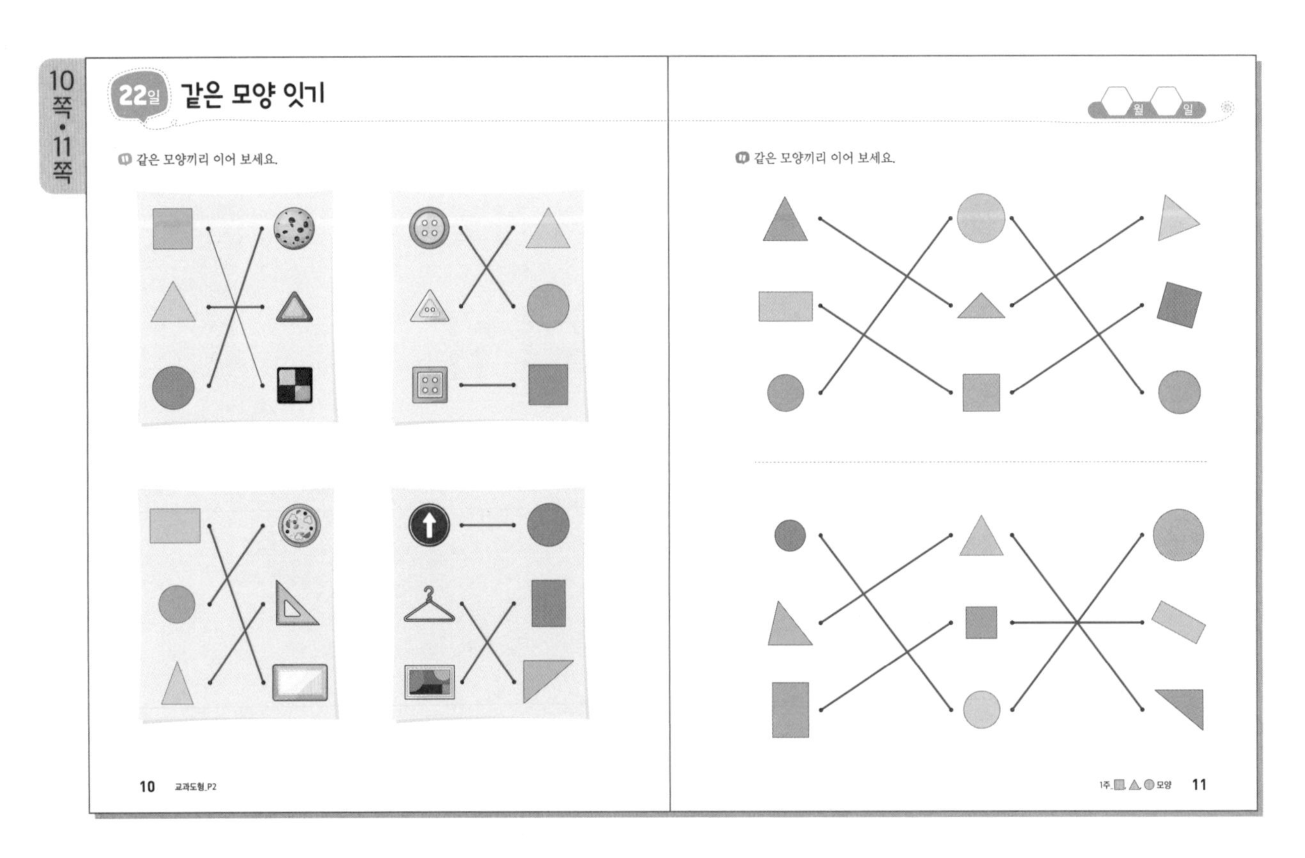

22일 같은 모양 잇기
월 일
같은 모양끼리 이어 보세요.
10 교과도형_P2
1주. ■, ▲, ● 모양 11

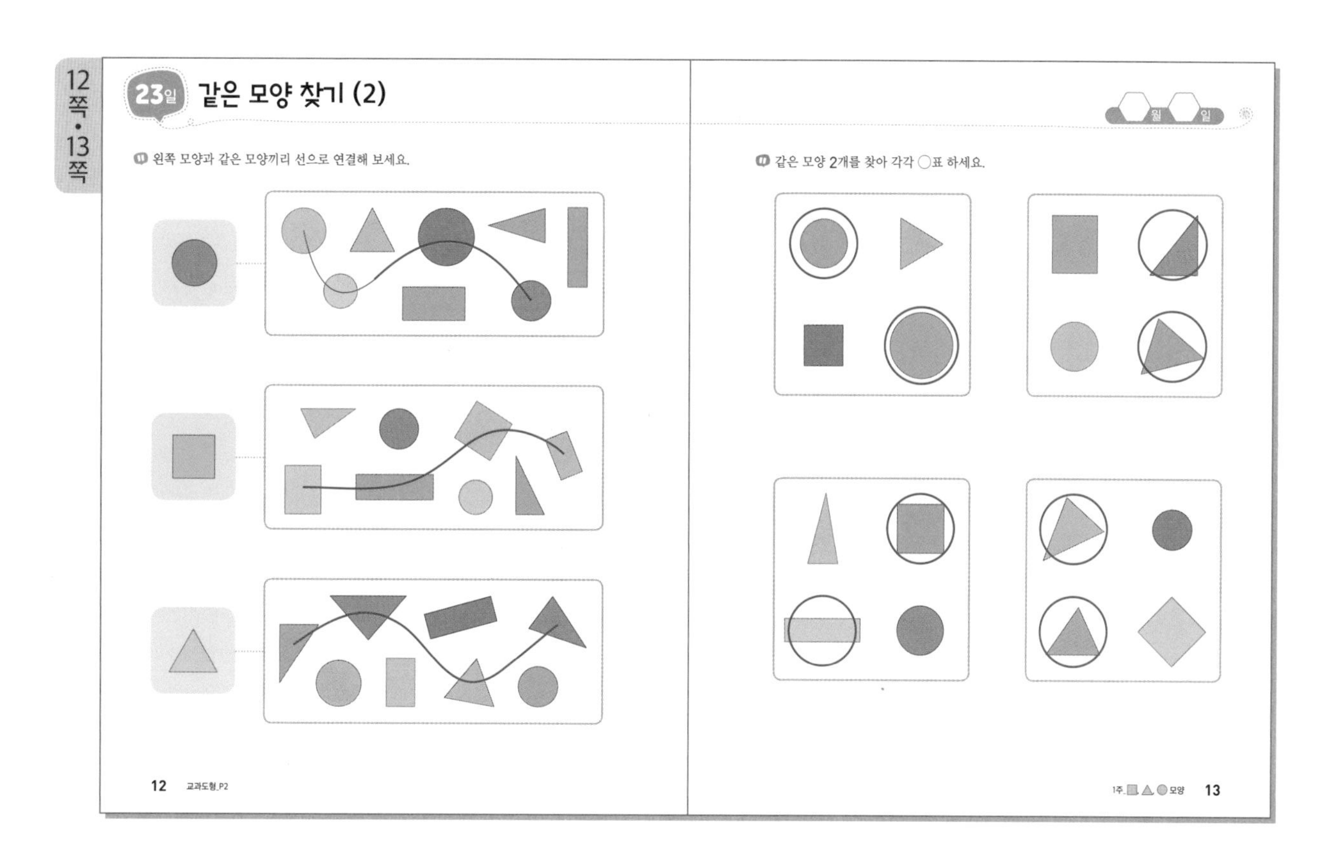
12쪽 · 13쪽
23일 같은 모양 찾기 (2)
월 일
왼쪽 모양과 같은 모양끼리 선으로 연결해 보세요.
같은 모양 2개를 찾아 각각 ○표 하세요.
12 교과도형_P2
1주 모양 13

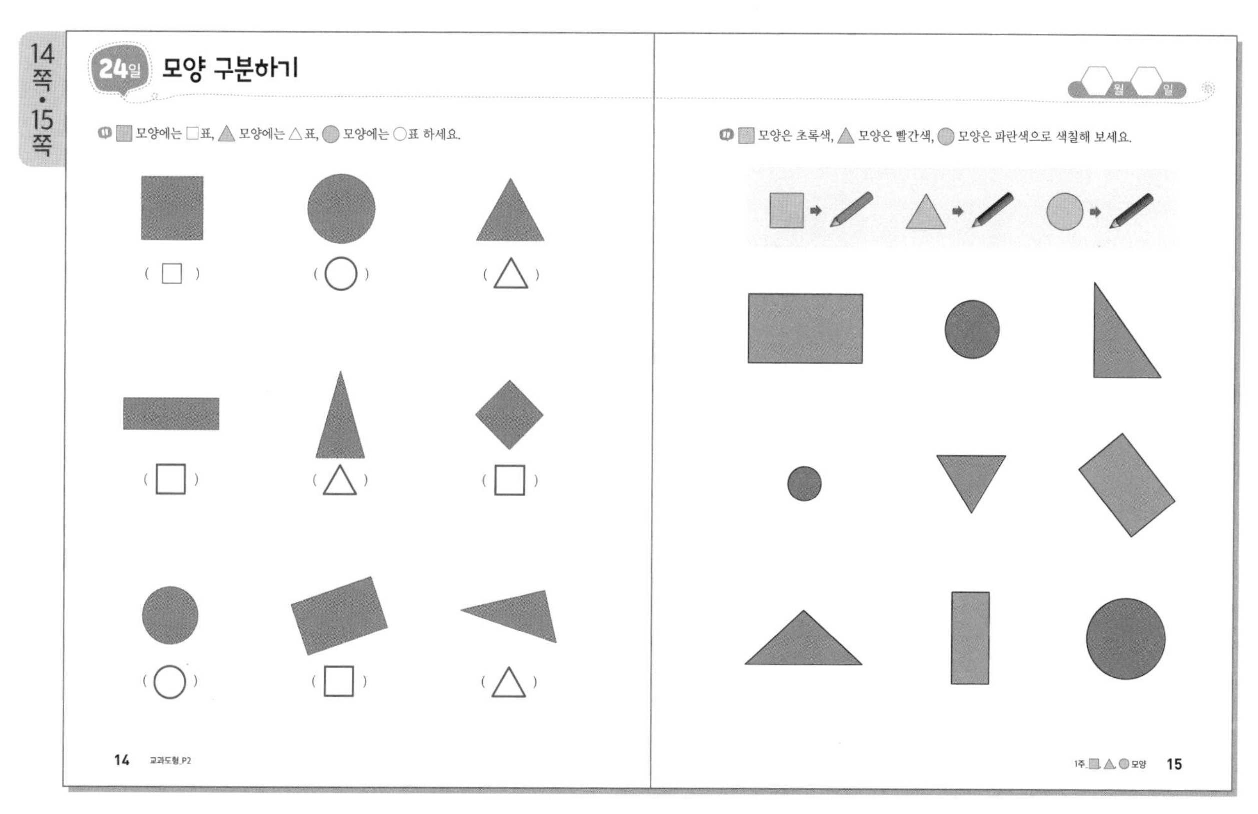
14쪽 · 15쪽
24일 모양 구분하기
월 일
모양에는 □표, △ 모양에는 △표, 모양에는 ○표 하세요.
모양은 초록색, 모양은 빨간색, 모양은 파란색으로 색칠해 보세요.
14 교과도형_P2
1주 모양 15

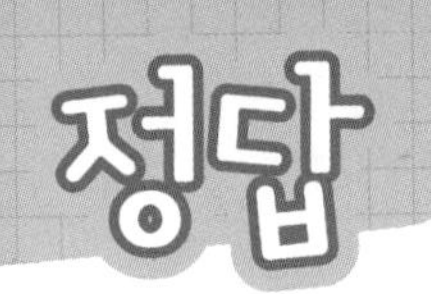

16쪽·17쪽

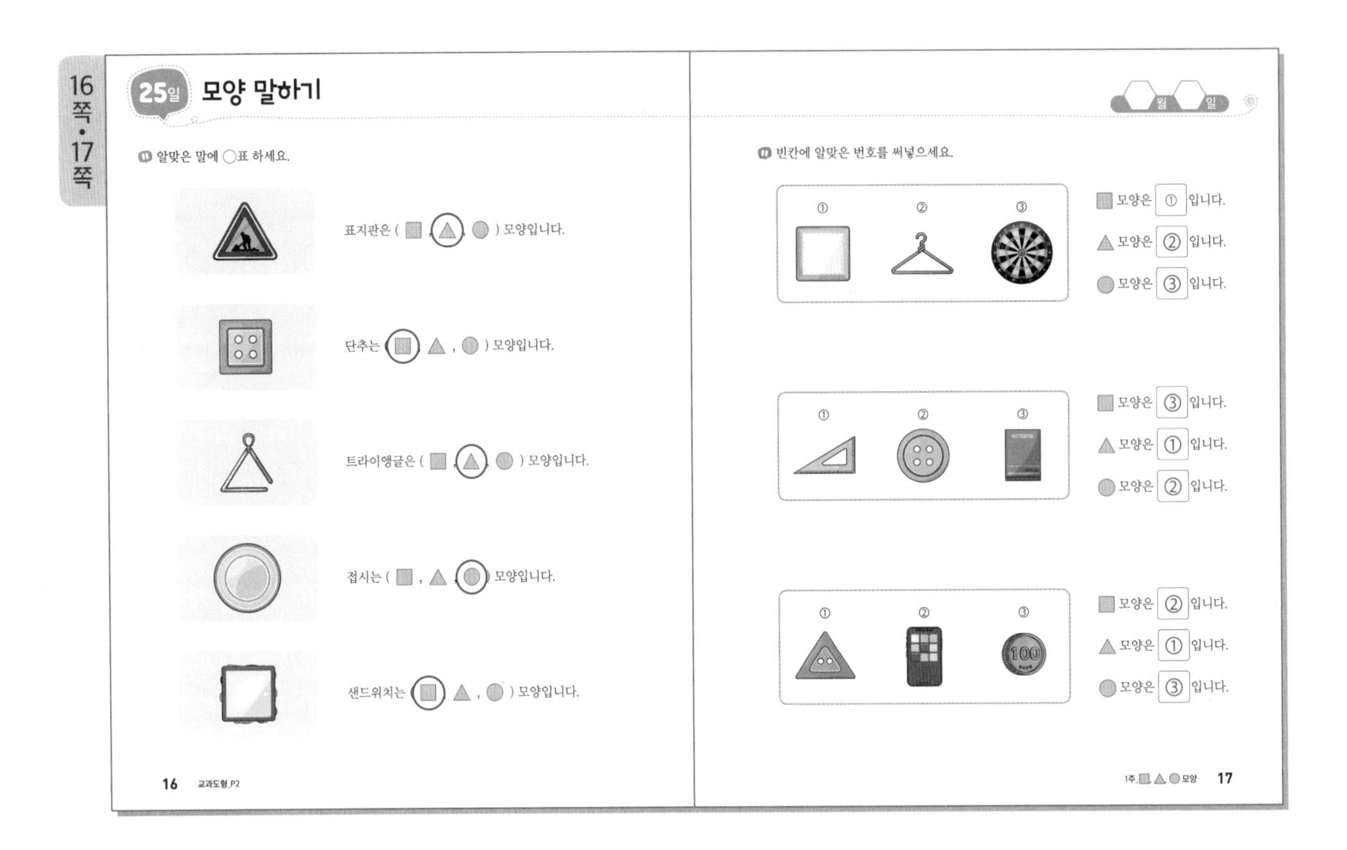

25일 모양 말하기
알맞은 말에 ○표 하세요.
표지판은 (□, △, ○) 모양입니다.
단추는 (□, △, ○) 모양입니다.
트라이앵글은 (□, △, ○) 모양입니다.
접시는 (□, △, ○) 모양입니다.
샌드위치는 (□, △, ○) 모양입니다.
빈칸에 알맞은 번호를 써넣으세요.
□ 모양은 ① 입니다.
△ 모양은 ② 입니다.
○ 모양은 ③ 입니다.
□ 모양은 ③ 입니다.
△ 모양은 ① 입니다.
○ 모양은 ② 입니다.
□ 모양은 ② 입니다.
△ 모양은 ① 입니다.
○ 모양은 ③ 입니다.
16 교과도형_P2
1주 □ △ ○ 모양 17

18쪽

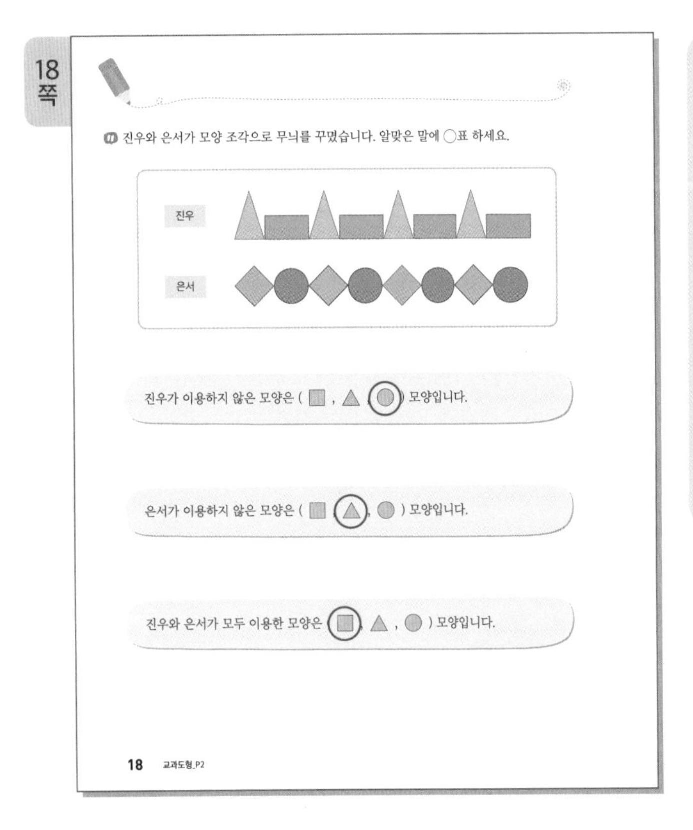

진우와 은서가 모양 조각으로 무늬를 꾸몄습니다. 알맞은 말에 ○표 하세요.
진우
은서
진우가 이용하지 않은 모양은 (□, △, ○) 모양입니다.
은서가 이용하지 않은 모양은 (□, △, ○) 모양입니다.
진우와 은서가 모두 이용한 모양은 (□, △, ○) 모양입니다.
18 교과도형_P2

[직관적으로 □, △, ○ 모양 찾기]

□, △, ○ 모양도 상자, 원기둥, 공 모양을 학습하는 것과 같이 정확한 개념보다는 직관이 형성되는 것이 중요합니다. 1학년까지는 수학적으로 완전한 사각형, 삼각형, 원이 아니더라도 직관적으로 □, △, ○ 모양으로 인식할 수 있는 경우 □, △, ○ 모양으로 봅니다.
또한 입체도형의 일부분으로서 □, △, ○ 모양을 인식하고 특징을 직관적으로 파악하는 것이 중요합니다.

2주차 모양 그리기

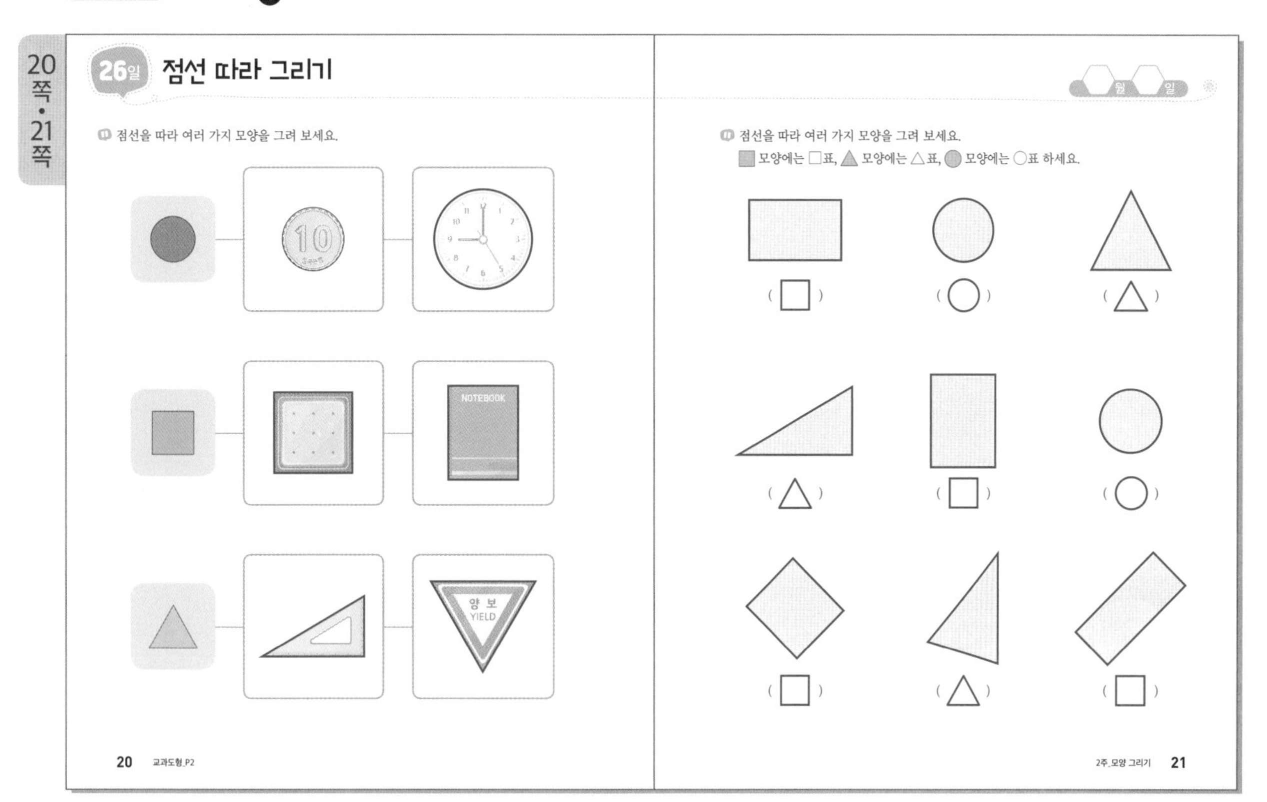
20쪽·21쪽
26일 점선 따라 그리기
점선을 따라 여러 가지 모양을 그려 보세요.
NOTEBOOK
양 보
YIELD
월 일
점선을 따라 여러 가지 모양을 그려 보세요.
모양에는 □표, 모양에는 △표, 모양에는 ○표 하세요.
20 교과도형_P2
2주_모양 그리기 21

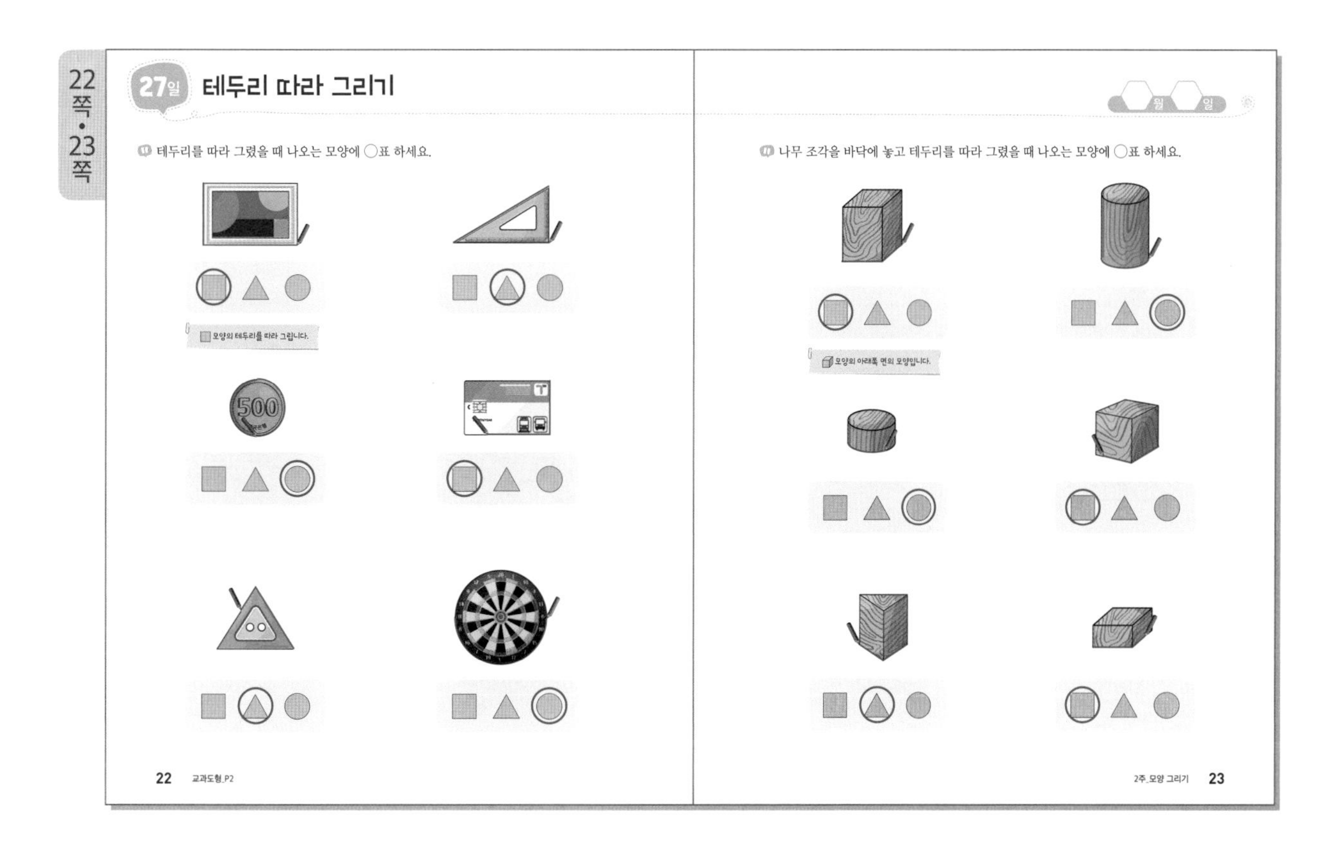
22쪽·23쪽
27일 테두리 따라 그리기
테두리를 따라 그렸을 때 나오는 모양에 ○표 하세요.
모양의 테두리를 따라 그립니다.
500
월 일
나무 조각을 바닥에 놓고 테두리를 따라 그렸을 때 나오는 모양에 ○표 하세요.
모양의 아래쪽 면의 모양입니다.
22 교과도형_P2
2주_모양 그리기 23

24쪽·25쪽

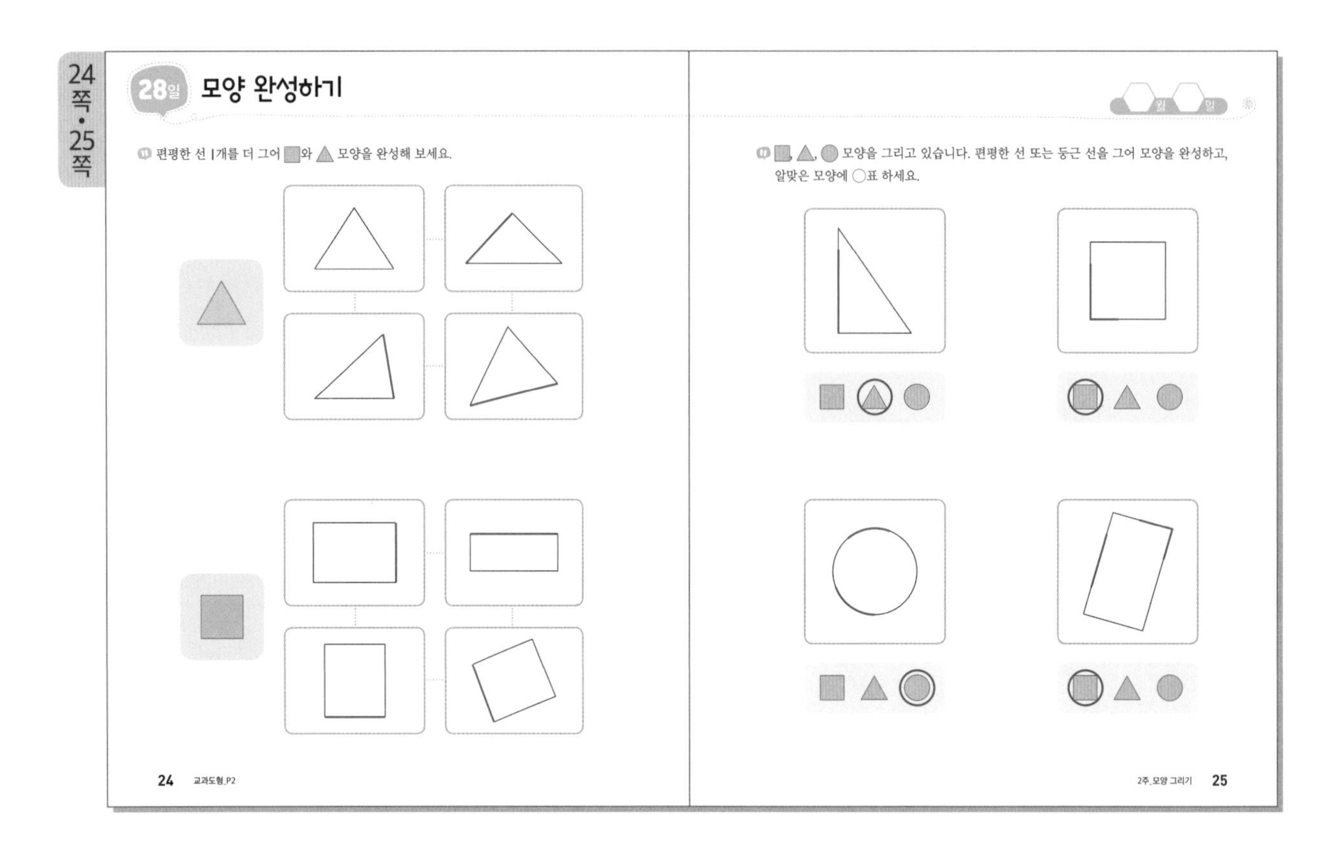

28일 모양 완성하기
편평한 선 1개를 더 그어 와 모양을 완성해 보세요.
, , 모양을 그리고 있습니다. 편평한 선 또는 둥근 선을 그어 모양을 완성하고, 알맞은 모양에 ○표 하세요.
24 교과도형_P2
2주_모양 그리기 25

26쪽·27쪽

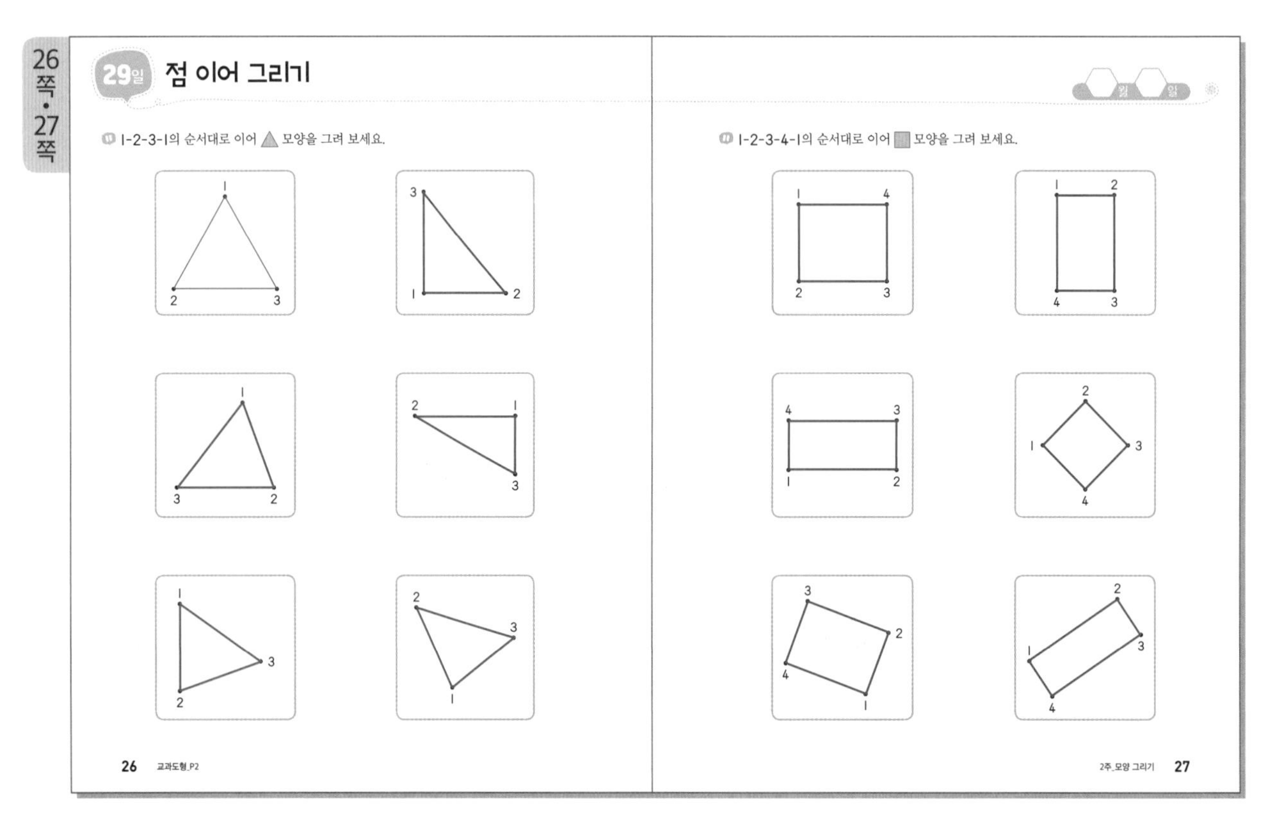

29일 점 이어 그리기
1-2-3-1의 순서대로 이어 모양을 그려 보세요.
1-2-3-4-1의 순서대로 이어 모양을 그려 보세요.
26 교과도형_P2
2주_모양 그리기 27

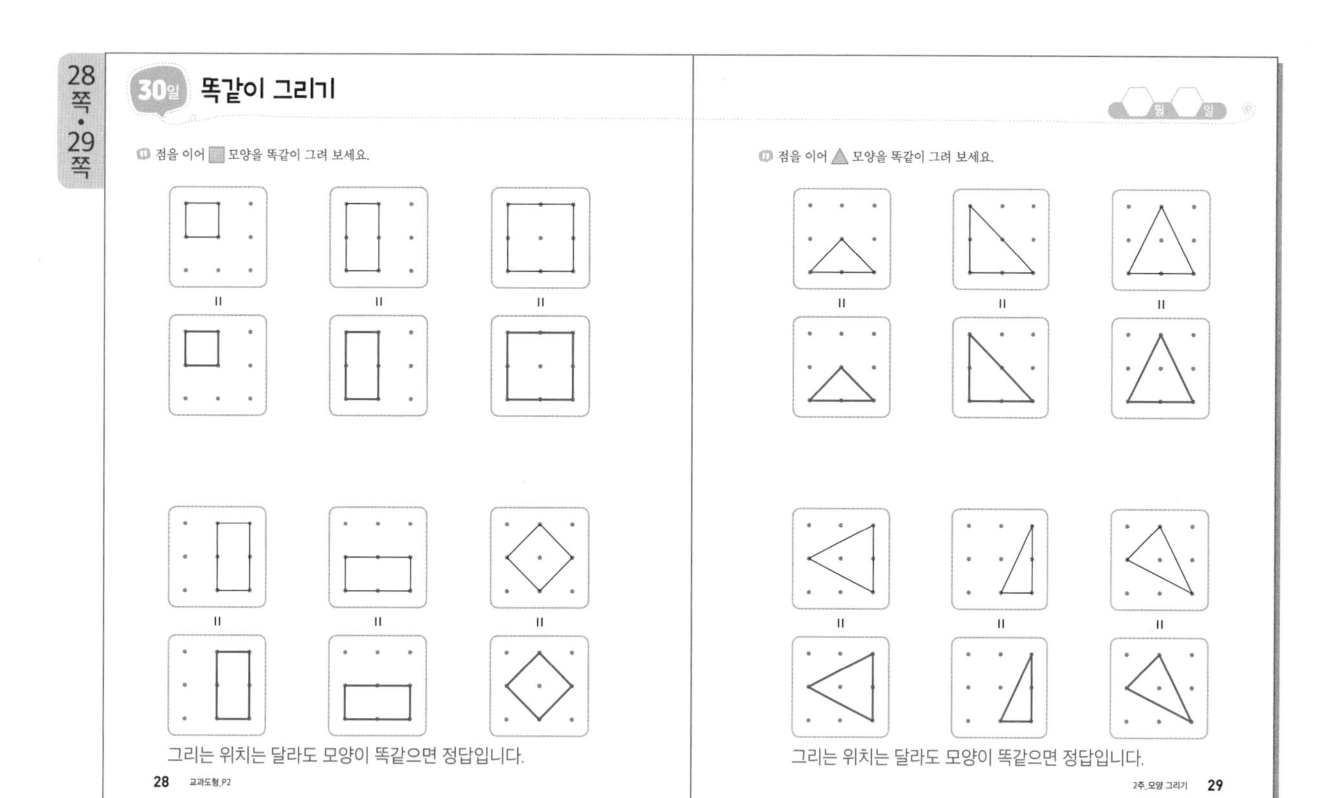
28쪽·29쪽
30일 똑같이 그리기
점을 이어 ▢ 모양을 똑같이 그려 보세요.
점을 이어 △ 모양을 똑같이 그려 보세요.
그리는 위치는 달라도 모양이 똑같으면 정답입니다.
그리는 위치는 달라도 모양이 똑같으면 정답입니다.
28 교과도형_P2
2주_모양 그리기 29

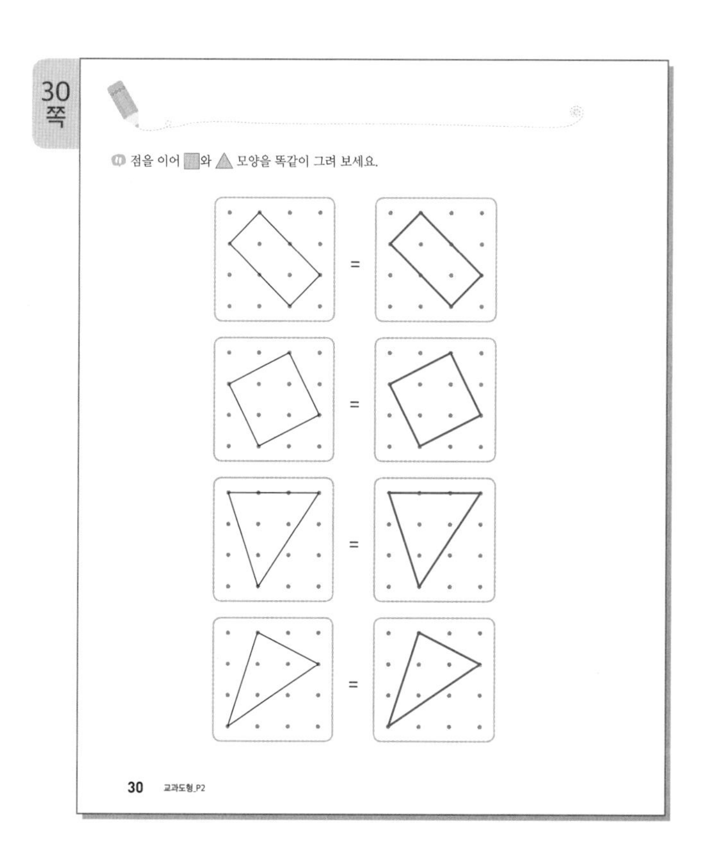
30쪽
점을 이어 ▢와 △ 모양을 똑같이 그려 보세요.
30 교과도형_P2

3주차 같은 모양 모으기

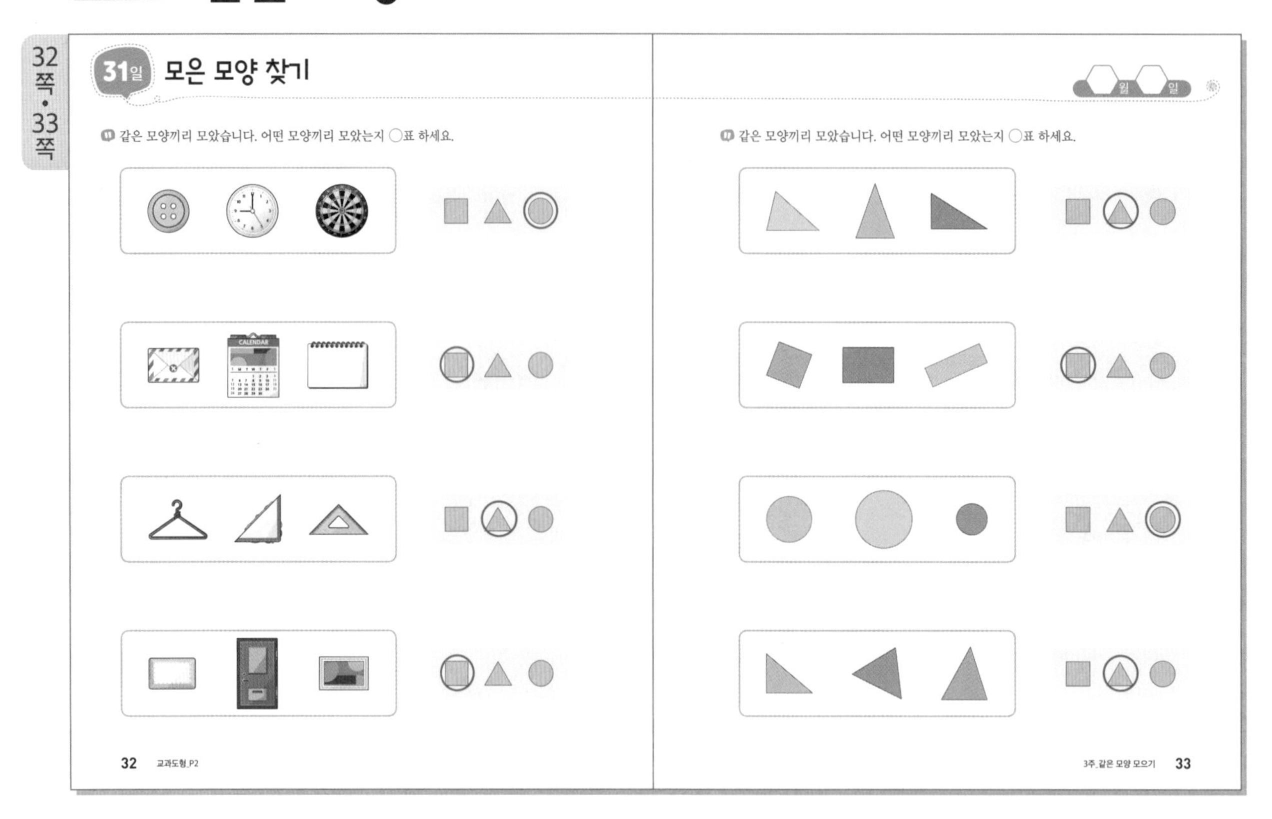
32쪽 · 33쪽

31일 모은 모양 찾기

월 일

1. 같은 모양끼리 모았습니다. 어떤 모양끼리 모았는지 ○표 하세요.

1. 같은 모양끼리 모았습니다. 어떤 모양끼리 모았는지 ○표 하세요.

32 교과도형_P2

3주_같은 모양 모으기 33

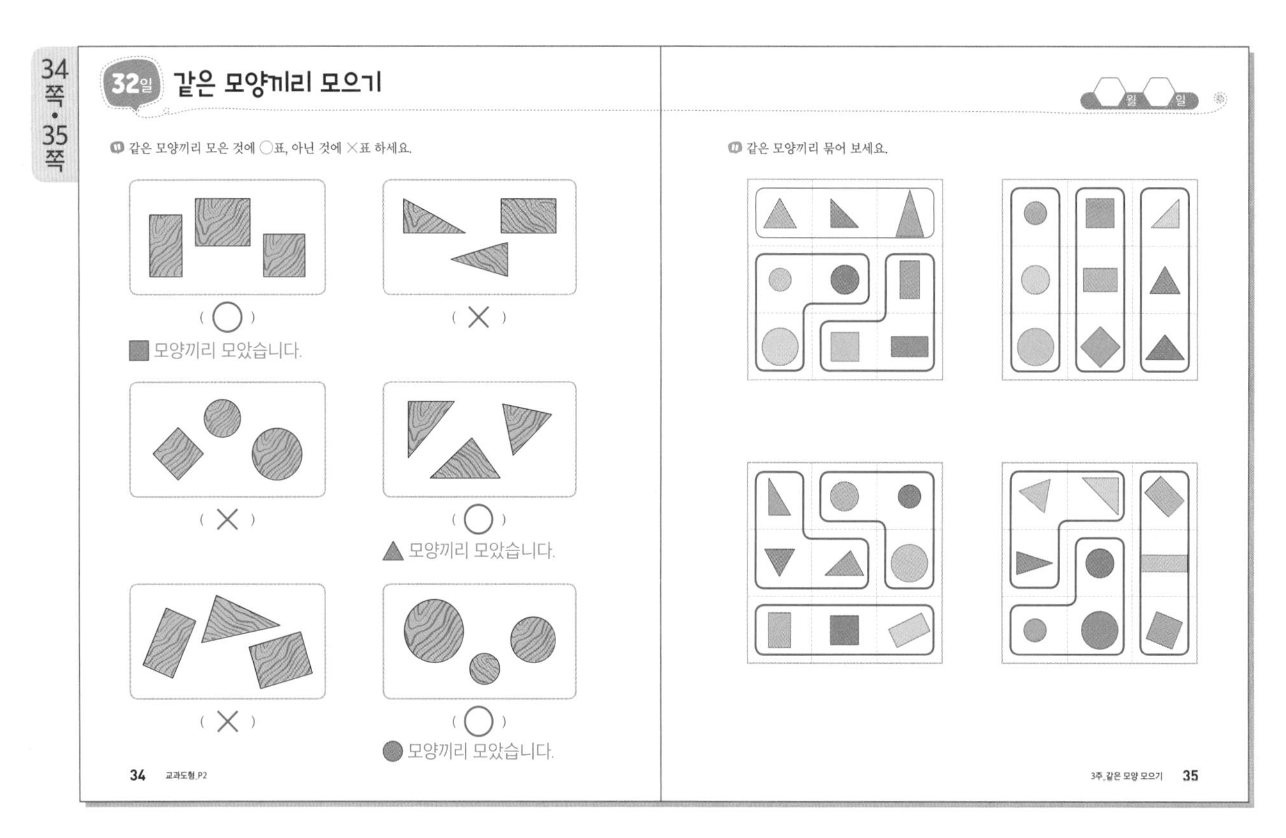
34쪽 · 35쪽

32일 같은 모양끼리 모으기

월 일

1. 같은 모양끼리 모은 것에 ○표, 아닌 것에 ×표 하세요.

(○) ■ 모양끼리 모았습니다.

(×)

(×)

(○) ▲ 모양끼리 모았습니다.

(×)

(○) ● 모양끼리 모았습니다.

1. 같은 모양끼리 묶어 보세요.

34 교과도형_P2

3주_같은 모양 모으기 35

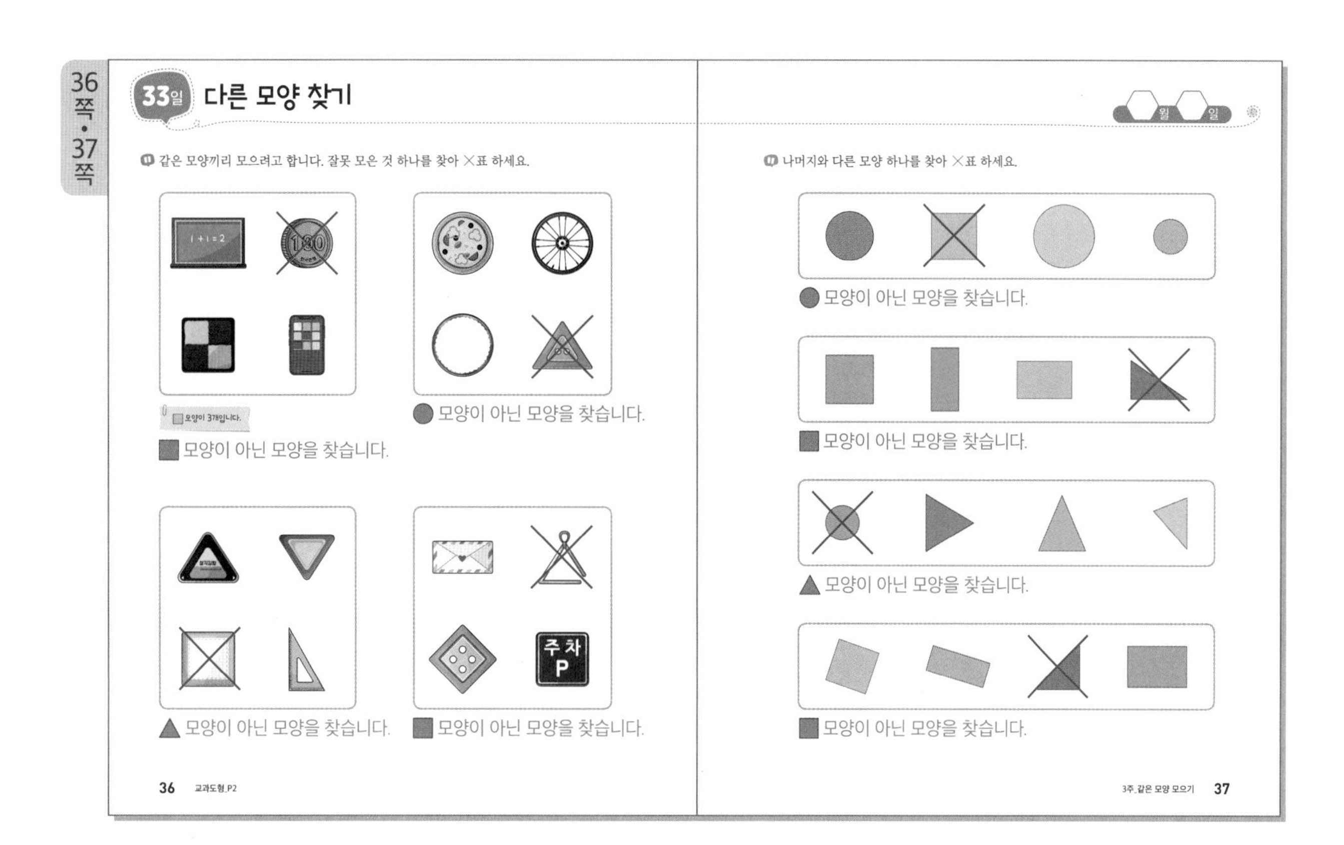
36쪽·37쪽
33일 다른 모양 찾기
월 일
같은 모양끼리 모으려고 합니다. 잘못 모은 것 하나를 찾아 ×표 하세요.
1+1=2
모양이 3개입니다.
모양이 아닌 모양을 찾습니다.
모양이 아닌 모양을 찾습니다.
모양이 아닌 모양을 찾습니다.
모양이 아닌 모양을 찾습니다.
주차
P
나머지와 다른 모양 하나를 찾아 ×표 하세요.
모양이 아닌 모양을 찾습니다.
모양이 아닌 모양을 찾습니다.
모양이 아닌 모양을 찾습니다.
모양이 아닌 모양을 찾습니다.
36 교과도형_P2
3주_같은 모양 모으기 37

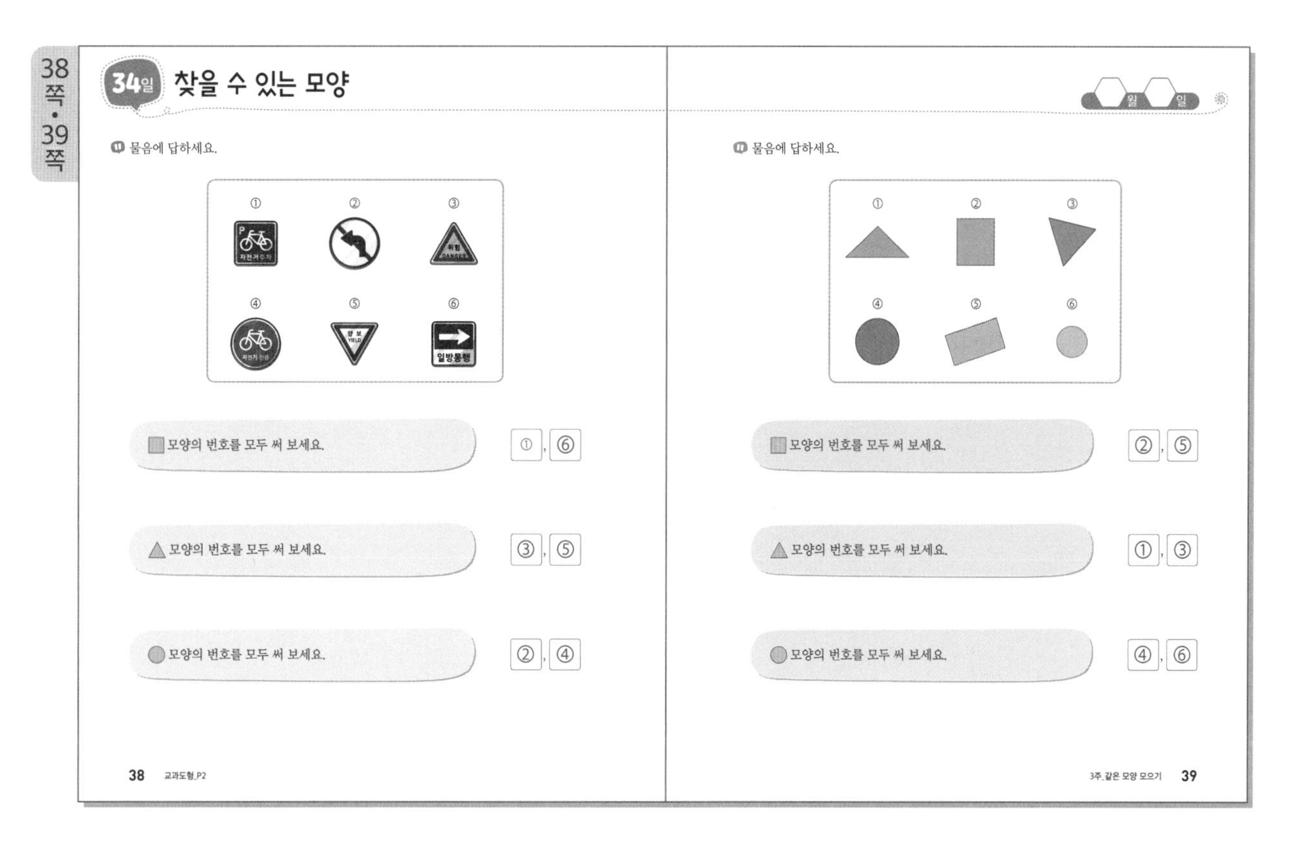
38쪽·39쪽
34일 찾을 수 있는 모양
월 일
물음에 답하세요.
①
②
③
④
⑤
⑥
일방통행
모양의 번호를 모두 써 보세요. ①, ⑥
모양의 번호를 모두 써 보세요. ③, ⑤
모양의 번호를 모두 써 보세요. ②, ④
물음에 답하세요.
①
②
③
④
⑤
⑥
모양의 번호를 모두 써 보세요. ②, ⑤
모양의 번호를 모두 써 보세요. ①, ③
모양의 번호를 모두 써 보세요. ④, ⑥
38 교과도형_P2
3주_같은 모양 모으기 39

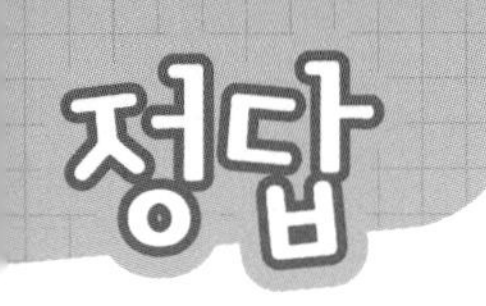
정답

40쪽 · 41쪽

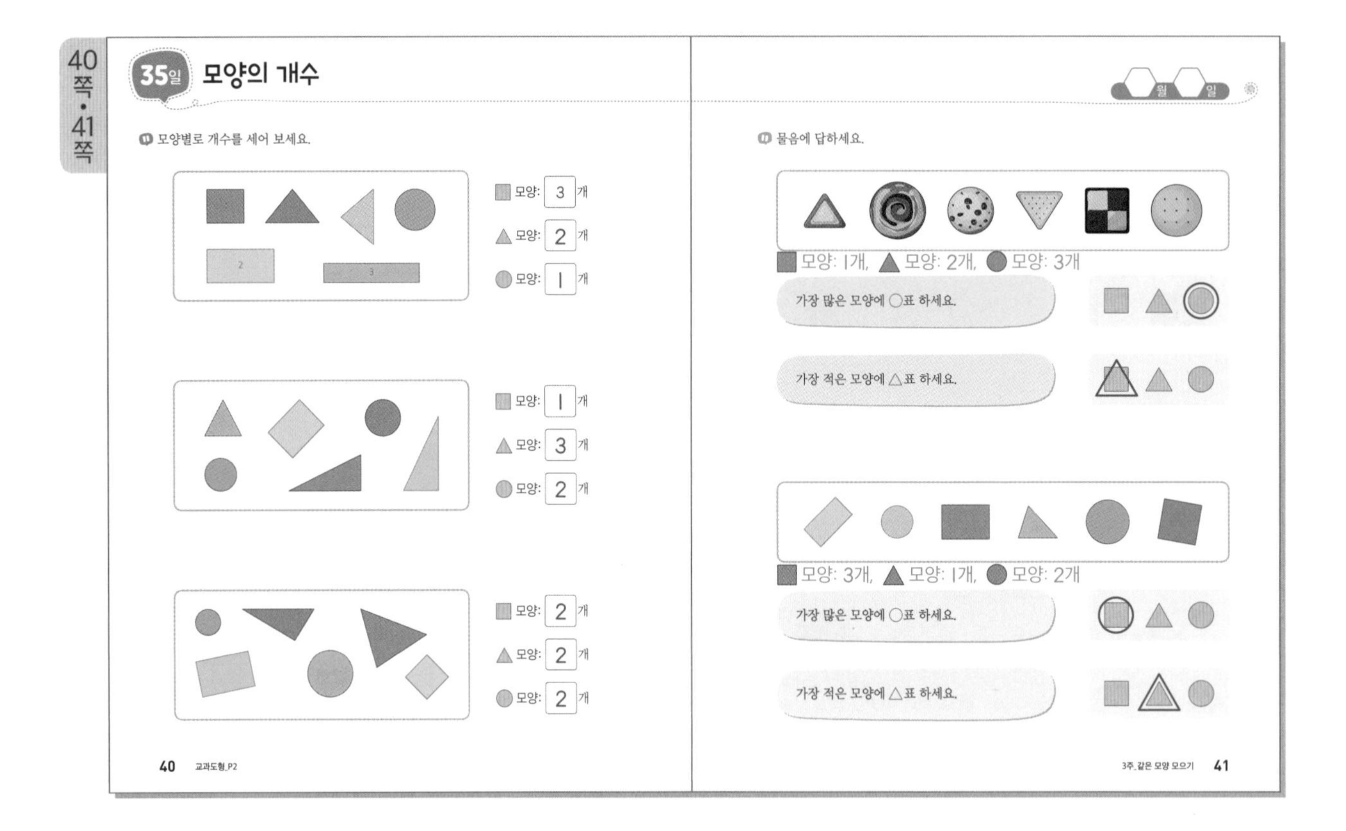
35일 모양의 개수
모양별로 개수를 세어 보세요.
모양: 3 개
모양: 2 개
모양: 1 개
모양: 1 개
모양: 3 개
모양: 2 개
모양: 2 개
모양: 2 개
모양: 2 개
월 일
물음에 답하세요.
모양: 1개, 모양: 2개, 모양: 3개
가장 많은 모양에 ○표 하세요.
가장 적은 모양에 △표 하세요.
모양: 3개, 모양: 1개, 모양: 2개
가장 많은 모양에 ○표 하세요.
가장 적은 모양에 △표 하세요.
40 교과도형_P2
3주_같은 모양 모으기 41

42쪽

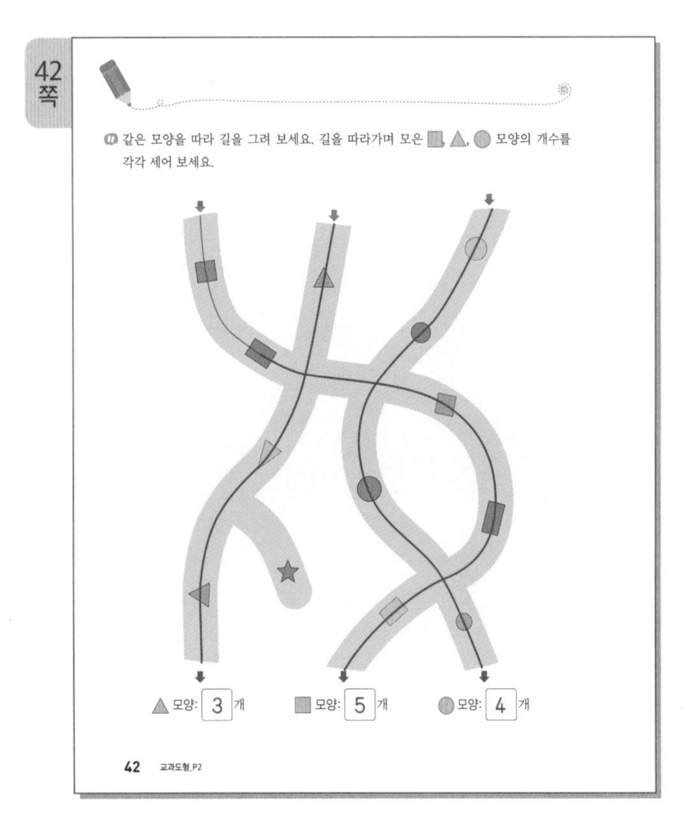
같은 모양을 따라 길을 그려 보세요. 길을 따라가며 모은 ■, ▲, ● 모양의 개수를 각각 세어 보세요.
모양: 3 개
모양: 5 개
모양: 4 개
42 교과도형_P2

4주차 모양 꾸미기

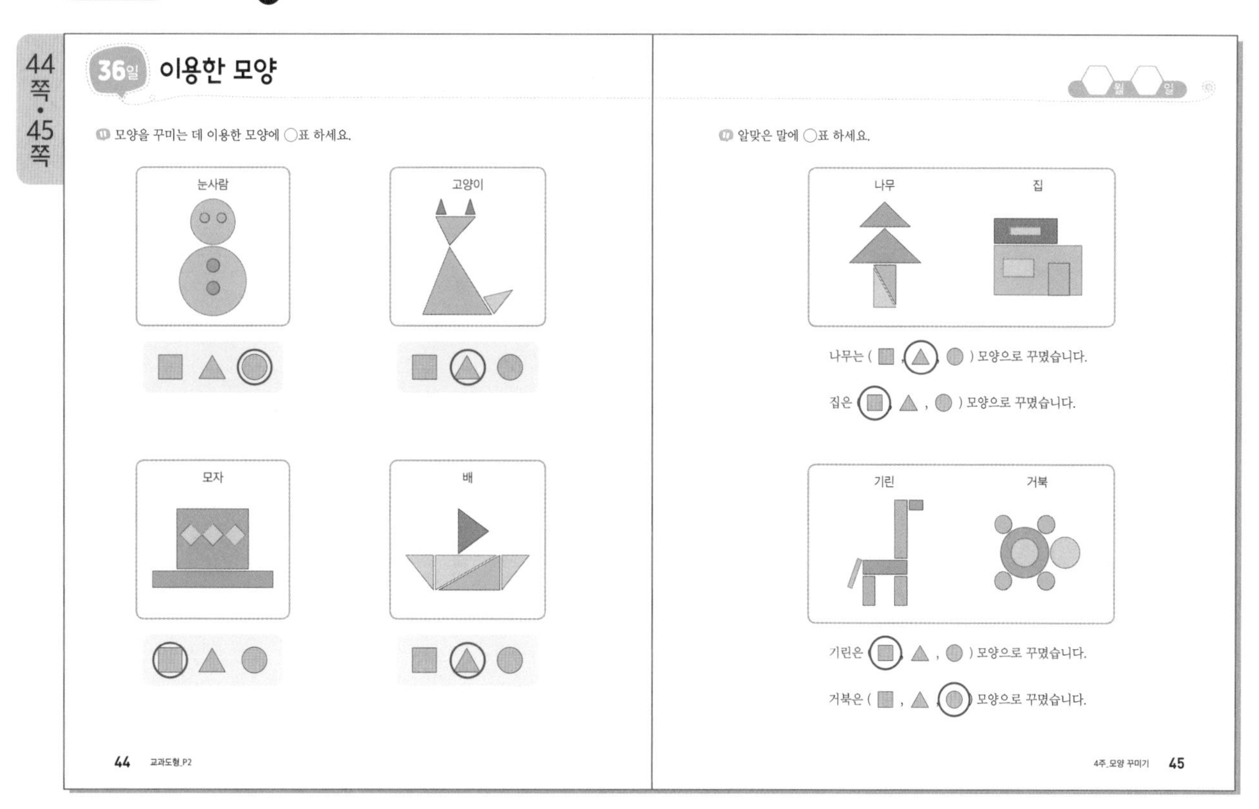
44쪽·45쪽
36일 이용한 모양
모양을 꾸미는 데 이용한 모양에 ○표 하세요.
눈사람
고양이
모자
배
알맞은 말에 ○표 하세요.
나무
집
나무는 (, ,) 모양으로 꾸몄습니다.
집은 (, ,) 모양으로 꾸몄습니다.
기린
거북
기린은 (, ,) 모양으로 꾸몄습니다.
거북은 (, ,) 모양으로 꾸몄습니다.
44 교과도형_P2
4주_모양 꾸미기 45

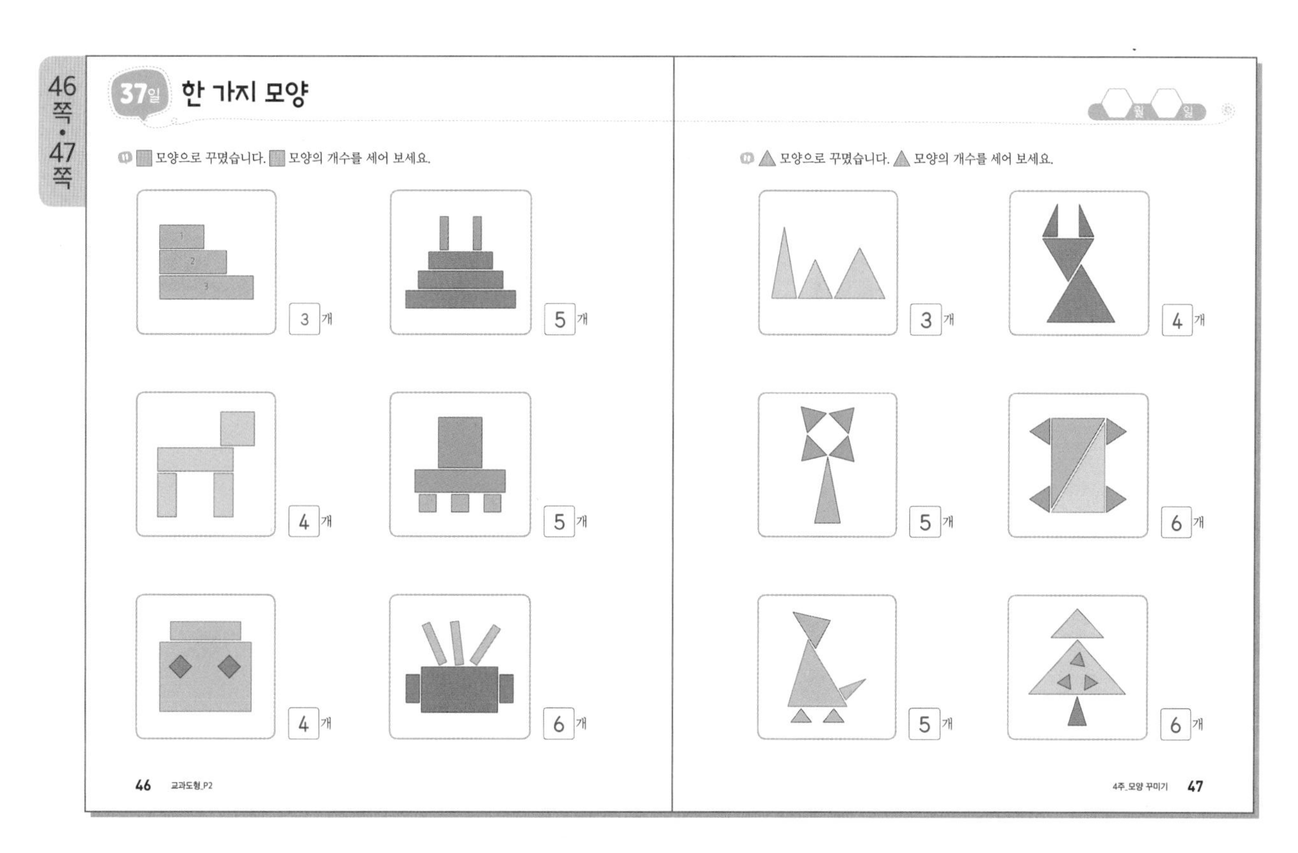
46쪽·47쪽
37일 한 가지 모양
모양으로 꾸몄습니다. 모양의 개수를 세어 보세요.
3 개
5 개
4 개
5 개
4 개
6 개
모양으로 꾸몄습니다. 모양의 개수를 세어 보세요.
3 개
4 개
5 개
6 개
5 개
6 개
46 교과도형_P2
4주_모양 꾸미기 47

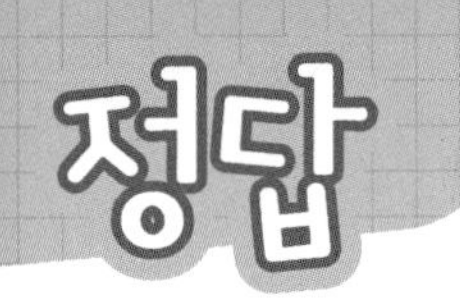

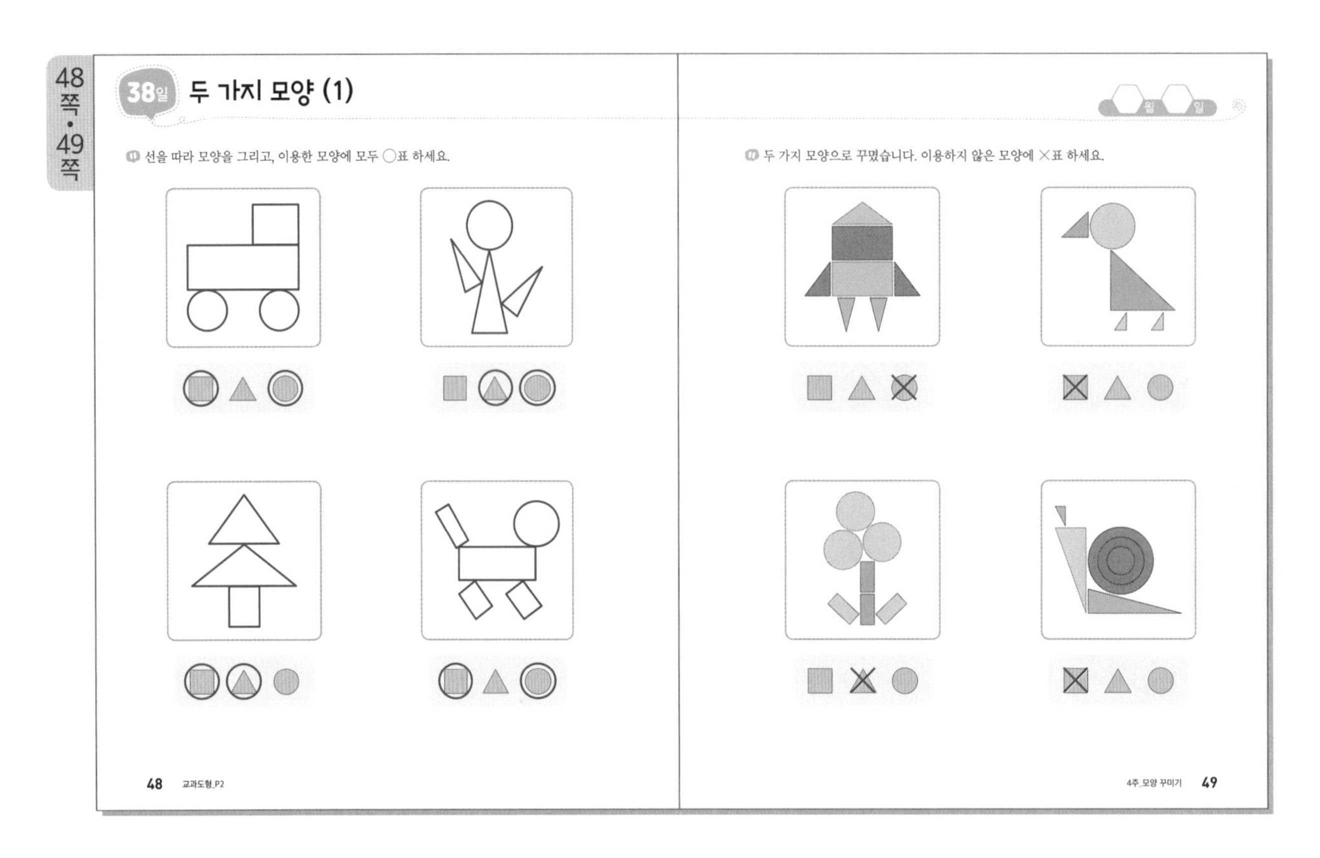

48쪽·49쪽

38일 두 가지 모양 (1)

월 일

11 선을 따라 모양을 그리고, 이용한 모양에 모두 ○표 하세요.

12 두 가지 모양으로 꾸몄습니다. 이용하지 않은 모양에 ×표 하세요.

48 교과도형_P2

4주 모양 꾸미기 49

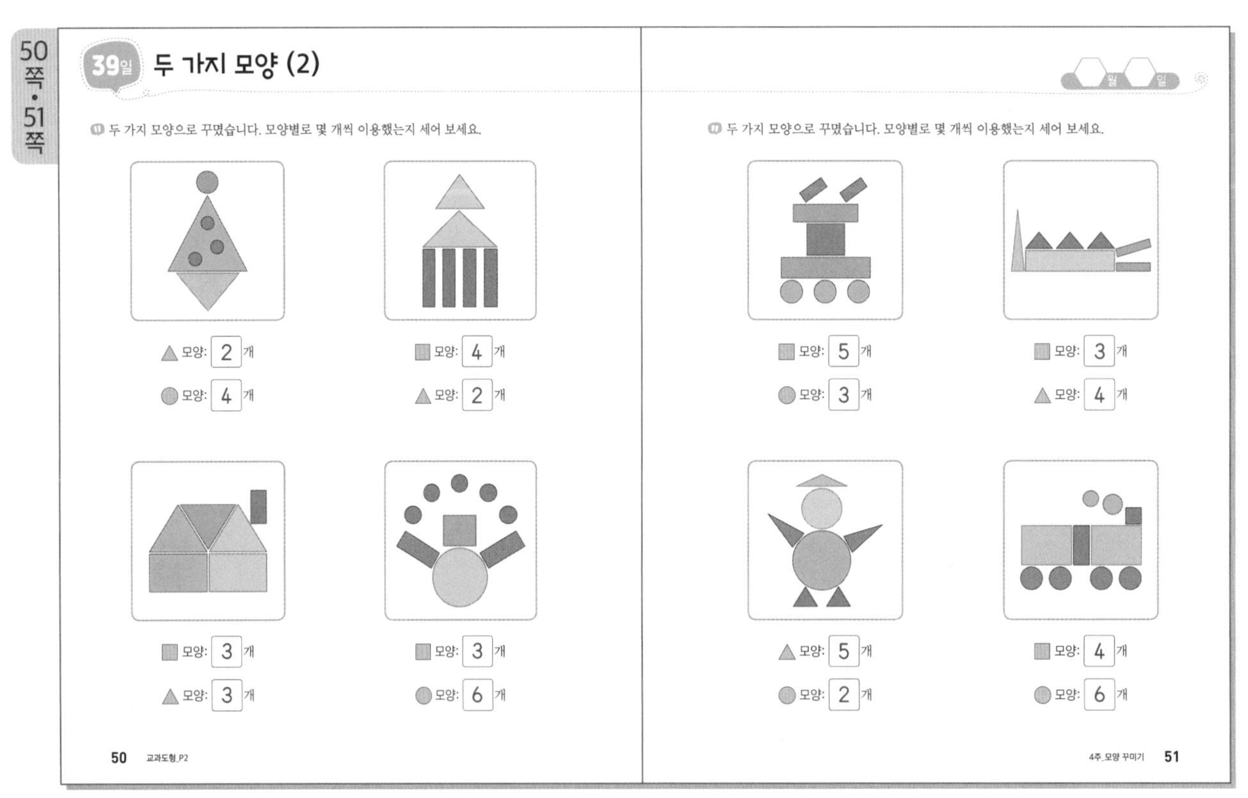

50쪽·51쪽

39일 두 가지 모양 (2)

월 일

13 두 가지 모양으로 꾸몄습니다. 모양별로 몇 개씩 이용했는지 세어 보세요.

- △ 모양: 2 개, ○ 모양: 4 개
- □ 모양: 4 개, △ 모양: 2 개
- □ 모양: 3 개, △ 모양: 3 개
- □ 모양: 3 개, ○ 모양: 6 개

14 두 가지 모양으로 꾸몄습니다. 모양별로 몇 개씩 이용했는지 세어 보세요.

- □ 모양: 5 개, ○ 모양: 3 개
- □ 모양: 3 개, △ 모양: 4 개
- △ 모양: 5 개, ○ 모양: 2 개
- □ 모양: 4 개, ○ 모양: 6 개

50 교과도형_P2

4주 모양 꾸미기 51

52쪽·53쪽

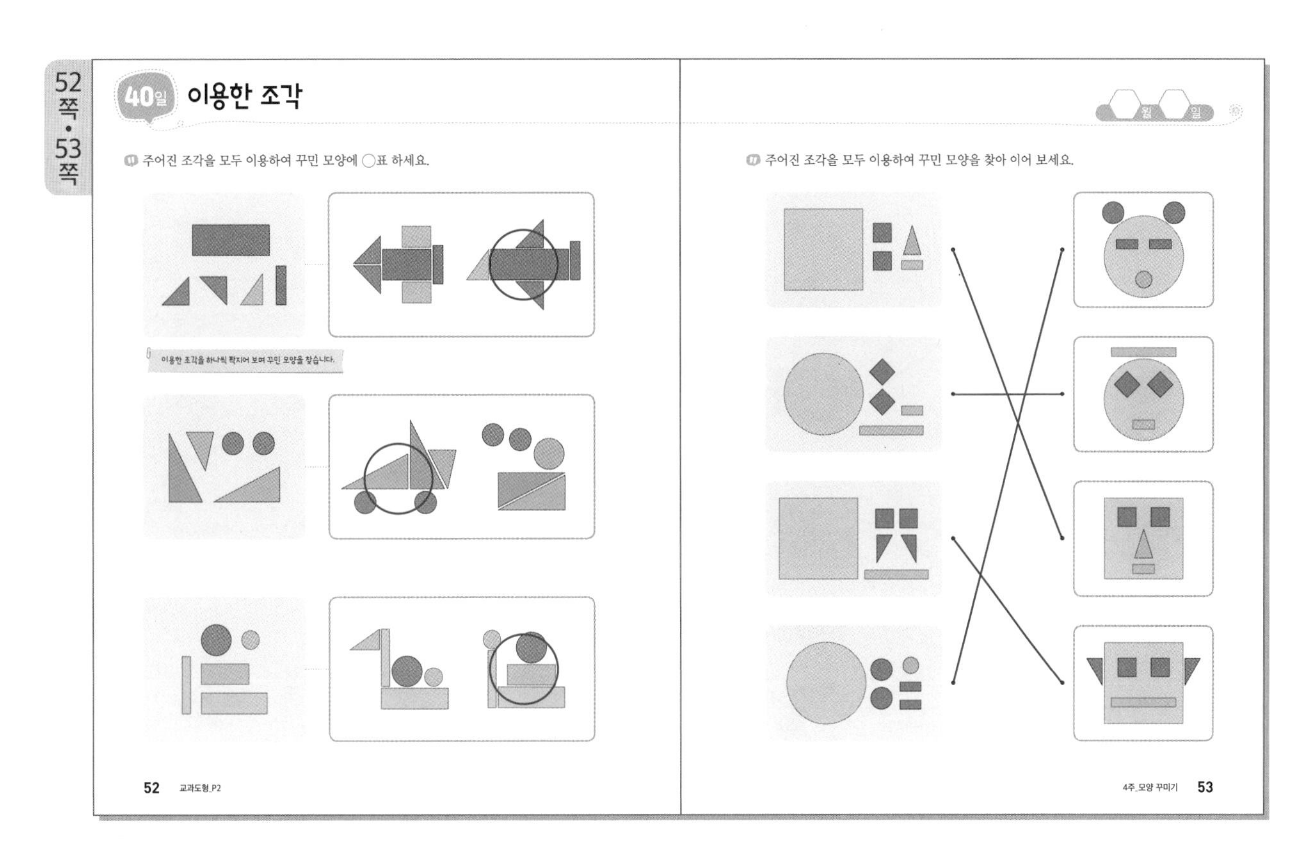
40일 이용한 조각
주어진 조각을 모두 이용하여 꾸민 모양에 ○표 하세요.
이용한 조각을 하나씩 짝지어 보며 꾸민 모양을 찾습니다.
주어진 조각을 모두 이용하여 꾸민 모양을 찾아 이어 보세요.
월
일
52 교과도형_P2
4주_모양 꾸미기 53

54쪽

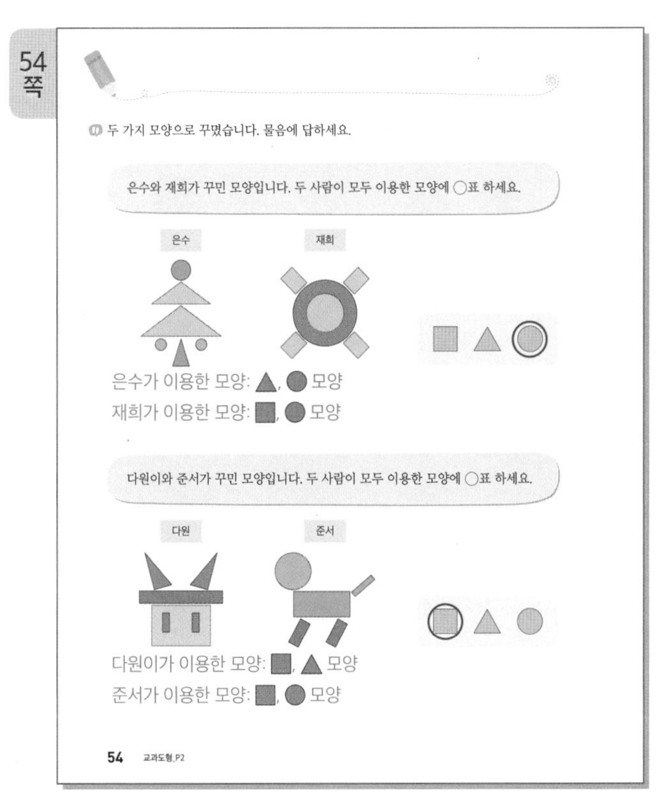
두 가지 모양으로 꾸몄습니다. 물음에 답하세요.
은수와 재희가 꾸민 모양입니다. 두 사람이 모두 이용한 모양에 ○표 하세요.
은수
재희
은수가 이용한 모양: ▲, ● 모양
재희가 이용한 모양: ■, ● 모양
다원이와 준서가 꾸민 모양입니다. 두 사람이 모두 이용한 모양에 ○표 하세요.
다원
준서
다원이가 이용한 모양: ■, ▲ 모양
준서가 이용한 모양: ■, ● 모양
54 교과도형_P2

정답

도형플러스+ 모양 겹치기

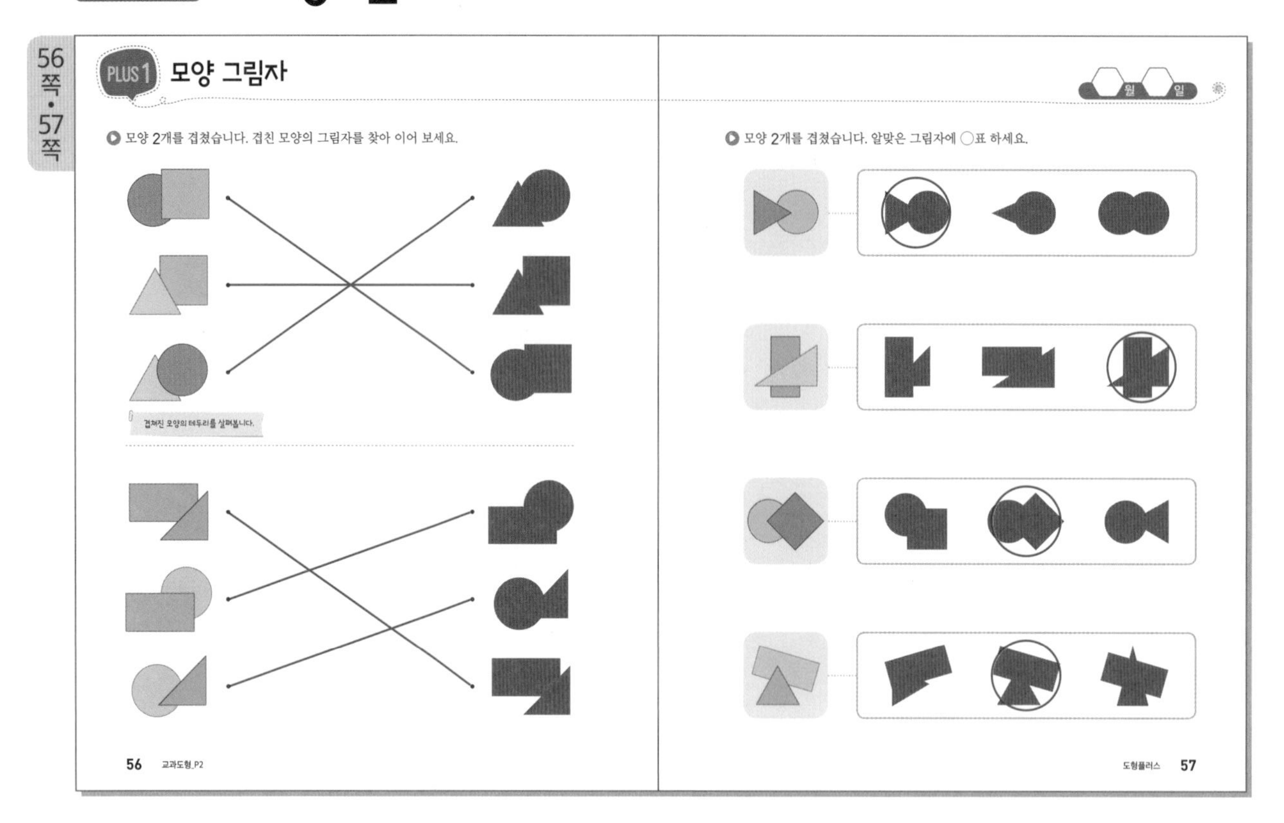
56쪽·57쪽
PLUS 1 모양 그림자
모양 2개를 겹쳤습니다. 겹친 모양의 그림자를 찾아 이어 보세요.
겹쳐진 모양의 테두리를 살펴봅니다.
월 일
모양 2개를 겹쳤습니다. 알맞은 그림자에 ○표 하세요.
56 교과도형_P2
도형플러스 57

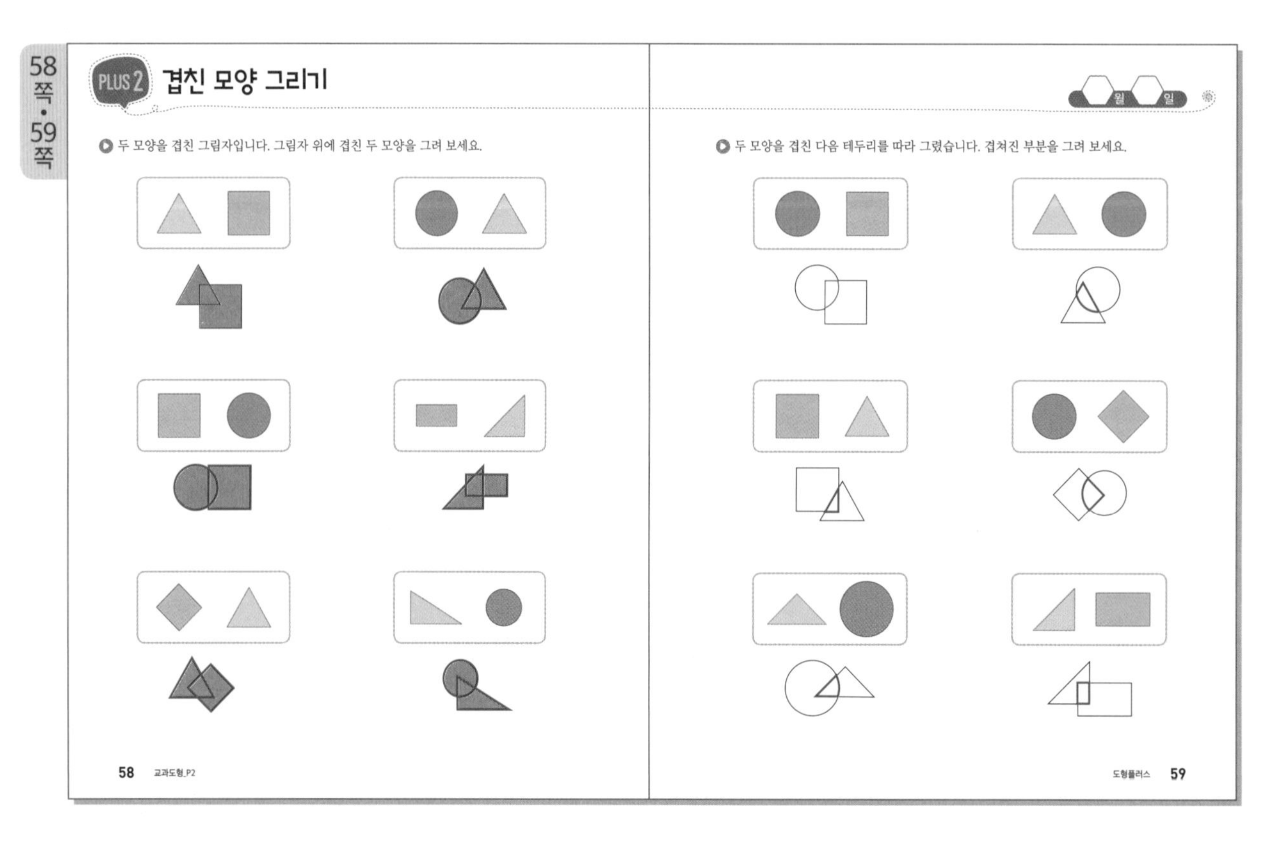
58쪽·59쪽
PLUS 2 겹친 모양 그리기
두 모양을 겹친 그림자입니다. 그림자 위에 겹친 두 모양을 그려 보세요.
월 일
두 모양을 겹친 다음 테두리를 따라 그렸습니다. 겹쳐진 부분을 그려 보세요.
58 교과도형_P2
도형플러스 59

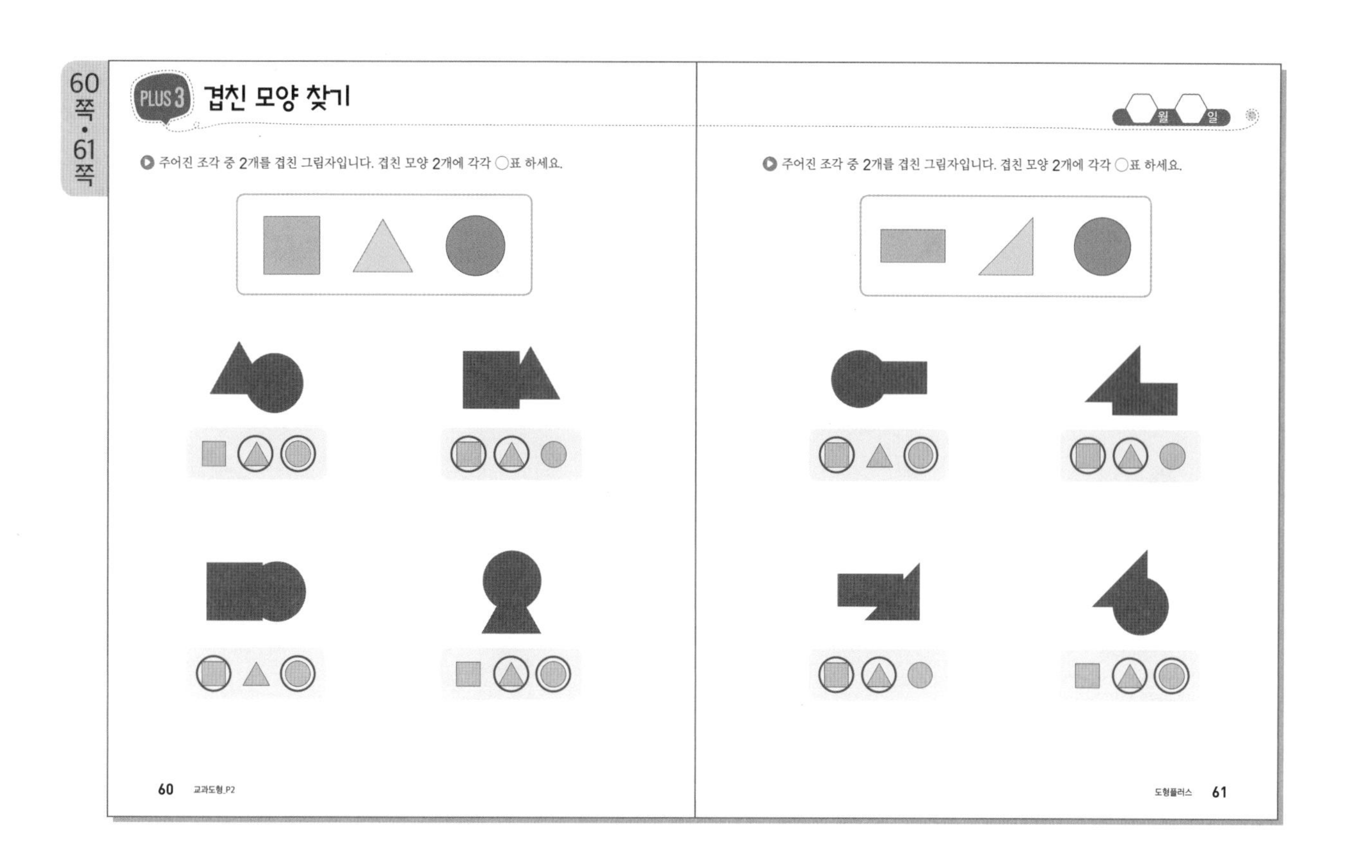
60쪽·61쪽
PLUS 3 겹친 모양 찾기
월 일
주어진 조각 중 2개를 겹친 그림자입니다. 겹친 모양 2개에 각각 ○표 하세요.
주어진 조각 중 2개를 겹친 그림자입니다. 겹친 모양 2개에 각각 ○표 하세요.
60 교과도형_P2
도형플러스 61

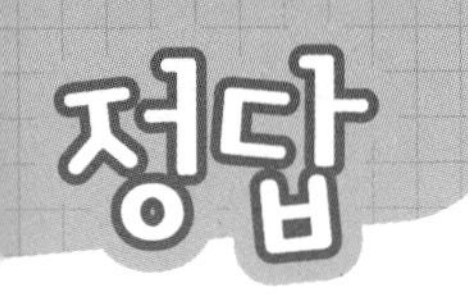

64쪽·65쪽

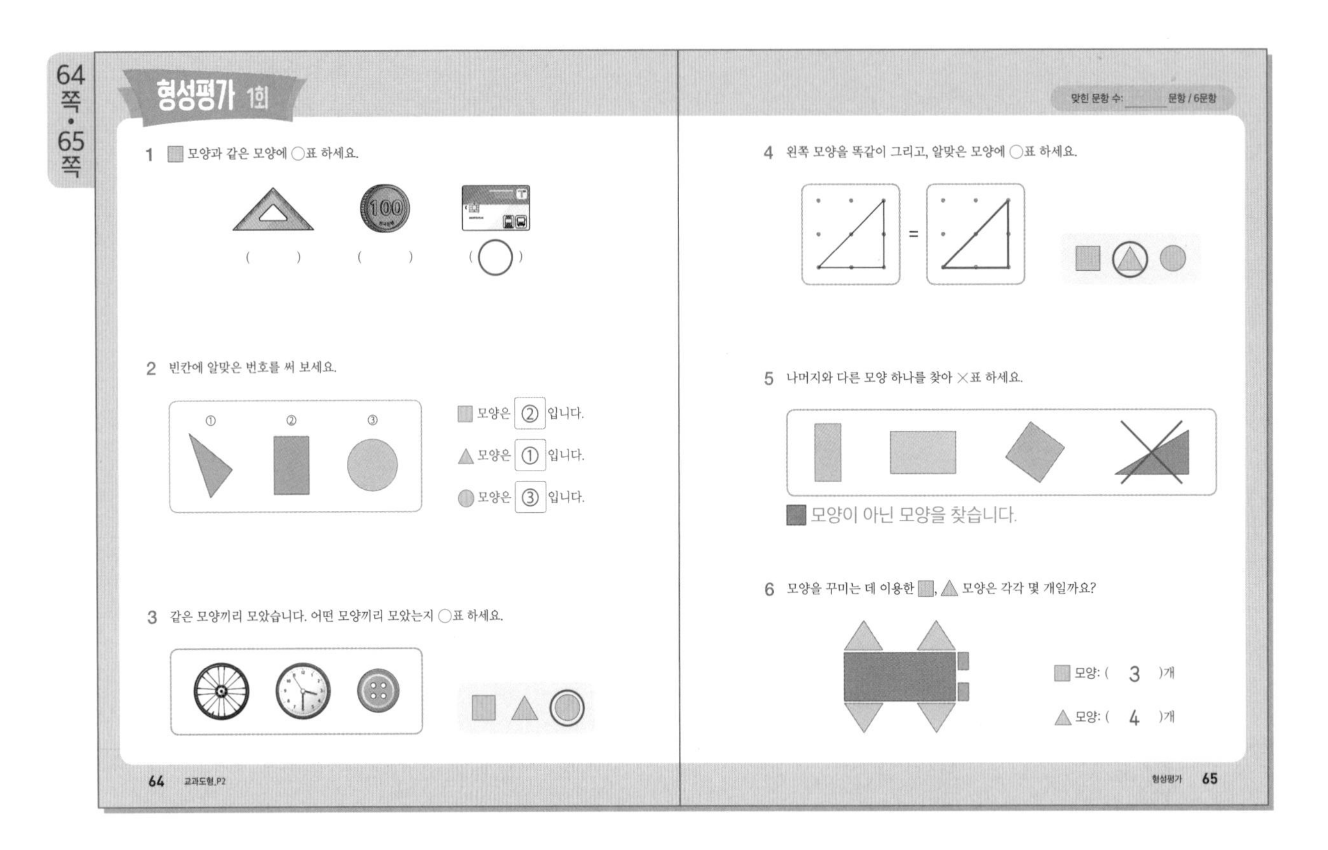

형성평가 1회

맞힌 문항 수: 문항 / 6문항

1 ▢ 모양과 같은 모양에 ○표 하세요.

( ) ( ) (○)

2 빈칸에 알맞은 번호를 써 보세요.

① ② ③

▢ 모양은 ② 입니다.

△ 모양은 ① 입니다.

○ 모양은 ③ 입니다.

3 같은 모양끼리 모았습니다. 어떤 모양끼리 모았는지 ○표 하세요.

4 왼쪽 모양을 똑같이 그리고, 알맞은 모양에 ○표 하세요.

5 나머지와 다른 모양 하나를 찾아 ×표 하세요.

▢ 모양이 아닌 모양을 찾습니다.

6 모양을 꾸미는 데 이용한 ▢, △ 모양은 각각 몇 개일까요?

▢ 모양: (3)개

△ 모양: (4)개

64 교과도형_P2

형성평가 65

66쪽·67쪽

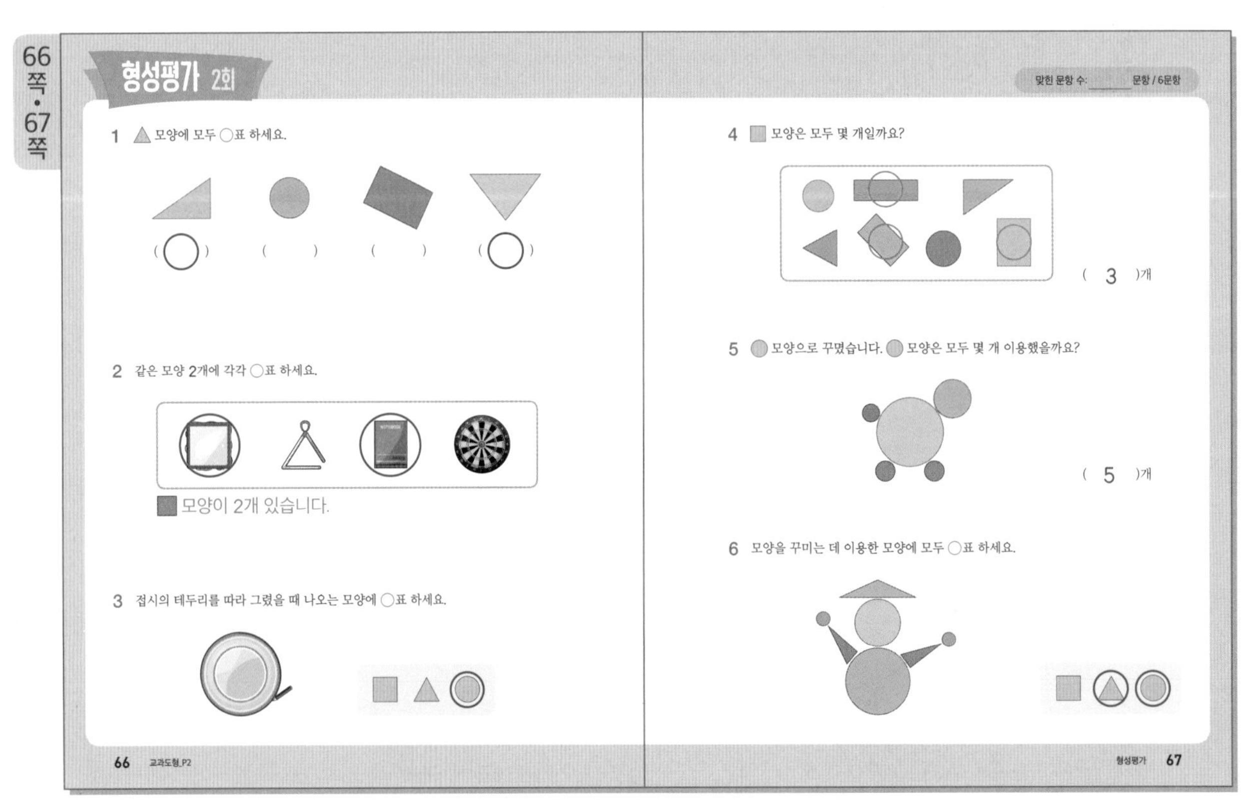

형성평가 2회

맞힌 문항 수: 문항 / 6문항

1 △ 모양에 모두 ○표 하세요.

(○) ( ) ( ) (○)

2 같은 모양 2개에 각각 ○표 하세요.

▢ 모양이 2개 있습니다.

3 접시의 테두리를 따라 그렸을 때 나오는 모양에 ○표 하세요.

4 ▢ 모양은 모두 몇 개일까요?

(3)개

5 ○ 모양으로 꾸몄습니다. ○ 모양은 모두 몇 개 이용했을까요?

(5)개

6 모양을 꾸미는 데 이용한 모양에 모두 ○표 하세요.

66 교과도형_P2

형성평가 67

하루 한 장 60일 집중 완성 교과도형

"한 권이면 충분합니다."

도형을 다양한 문장과 그림,
수식으로 표현합니다.

감각
sense

도형 학습의 바탕이 되는
공간감각을 길러줍니다.

표현
expression

측정
measurement

측정을 더하여
도형 학습을 완성합니다.